左翼の反省と展望

――社会主義を志向して六〇年

村岡到

ロゴス

*人名の敬称は統一されていません。
*引用文献の表示形式は統一されていません。
*数字は引用文献でも和数字に替えました。
*村岡到の著作、編著でロゴス刊行のものは、「ロゴス」の表示を外しました。

まえがき

この本を企画し、新しい論文を執筆している最中に、昨年一二月に武漢で発生した新型コロナウイルス感染が全世界に広がり、不気味な事態となっている。そこで「新型コロナが提起する人類史的課題」を巻頭に加えることにした。新型コロナは人類にとってまったく未知であり、事態は長期戦の様相を深めて進行中なので、本書が刊行される時点では——それほど時間が経過するわけではないのに、新しい問題が惹起されているであろう。

この本を企画した理由は、一九六〇年に新潟県長岡市で高校二年生で安保闘争のデモに初めて参加して以来、六〇年が経ち、この四月に喜寿を迎えたので、この機会に何をどのように学んで生きてきたのかについて反省し、まとめておいたほうが良いと考えたからである。六三年に上京し、東京大学医学部付属病院分院の職員になった。同時に、新左翼（いわゆる中核派）の労働者活動家となり、六九年の一〇・二一国際反戦デーに逮捕・起訴され一年三カ月獄中に拘置され、七五年に実刑判決（執行猶予付き）が下され、東京大学を失職した。同年に第四インターに加盟し、八〇年に政治グループ稲妻なる小さな組織を創り、それを九六年に解散した後もいくつかの雑誌を編集・刊行しながら一貫して〈社会主義を志向〉してきた。

二〇〇五年に本郷で「ロゴス」の事務所を設置して以降は、小さな雑誌の編集や著作の執筆・刊行を続けてきた。


この小さな本のテーマは次の三つである。

まず、第Ⅰ部で日本左翼の欠陥は何かを探った。それは、マルクスの根本的弱点でもあった。この反省を通して、私は、〈友愛〉の大切さを知り、宗教の重さに気づいた。六〇年安保闘争からの六〇年の私の歩みを整理した。

合わせて、私が到達した〈友愛〉の重視に呼応していただいた、鳩山友紀夫氏と碓井敏正氏の文章を収録した。

次に、第Ⅱ部で左翼低迷の理論的根拠の主要な問題として、資本主義を超える社会主義像について新しい認識を提起した。左翼にとって常識となっている「資本家＝敵」という教条を検討し、その誤りを超える道を摸索し、社会主義経済における分配のあり方を探究し、〈社会主義への政経文接近〉（政治的経済的文化的接近）の必要性を提起した。

さらに、第Ⅲ部で日本左翼の中軸をなす日本共産党について解明した。私は一九七八年に〈共産党との対話〉〈内在的批判〉を提起した。いらい、共産党の動向を継続して論評してきた。本書では、共産党の弱点・誤りを批判するとともに、共産党が脱皮して飛躍することを希求した。

理論的探究にあたって、私が心がけていることは、「否定面の理解をともなわぬ肯定が弱いものであるように、肯定面の理解をともなわぬ否定は弱い」という梅本克己さんの注意である（梅本克己『マルクス主義における思想と科学』三一書房、一九六四年、一三〇頁）。梅本さんは、一九七〇年に東京拘置所在監時に文通し、水戸のお宅にも何度も伺った、ただ一人の「先生」である。[注]

本書が、危機を深める政治状況のなかで、そこを突破するためのさまざまな活動と交叉して、新しい思考・志向のきっかけになることを切望する。

二〇二〇年五月五日

村岡　到

〈注〉村岡到「梅本主体性論の今日的意義」『現代の理論』一九七六年三月号、参照。『社会主義へのオルタナティブ』一九九七年に収録。

左翼の反省と展望——社会主義を志向して六〇年　目次

第Ⅱ部　**社会主義像の新探究**

政治論評

新型コロナが問う人類史的課題

新型コロナウイルス感染は、昨年（二〇一九年）一二月に中国の武漢で発生し、三月一一日に世界保健機構（ＷＨＯ）はパンデミック（世界的大流行）を宣言し、四月初めまでにイタリアやアメリカなど六〇数カ国で国家非常事態宣言が発せられた。

新型コロナの何よりも恐ろしいことは、未知であり、人類がグローバル化を大きく実現したことによって、全世界的規模で日常生活の根底的変容を迫る、巨大な災厄を引き起こしていることにある。感染力が高く、適切なワクチンも治療薬もなお存在しない。

五月四日現在の感染者の規模は、世界で約三二五・三万人：死者は約二四・八万人。日本では一・五万人：五五六人。最大のアメリカでは約一一五・八万人：約八・八人。ニューヨークだけでも三一万人：一・八万人。何とも驚愕するほかない。

新型コロナは、多くの問題を問うことになっているので、統一的に整序して論じることは難しく羅列するほかない。

五月四日、安倍晋三首相は、四月七日に発出した「緊急事態宣言」を五月末まで延長すると記者会見で明らかにした。さらに長期化することも不可避と思われる。二次感染の可能性も高い。一年、二年の長期にわたる可能性もあり、とてもオリンピックなど問題ではない。

医療従事者への感謝

まず、この時間にも新型コロナ感染の現場で診断・治療に当たっている医師、看護師などの医療従事者のわが身の危険を超えての奮闘に深く感謝します。医療現場だけではなく消毒作業に従事している人もいるし、検体検査をする人、ワクチン開発のために徹夜で研究している人もいる。電気や水道や清掃など社会の保持のための労働も不可欠である。私たちの社会は、そのような人たちの献身的努力に支えられて存続している。普段は意識することはほとんどないが、社会存続の基礎に何があるのか、反省を迫られる。言語は個人の意志疎通と共通認識形成のために生まれた。間違っても私欲や偏見や騙しの手段として発せられてはならない。

社会のあり方を照らし出した新型コロナ

新型コロナは、感染を広げた各国で「正常」な時には気づかなかったその社会のあり方、特質を照らし出すことになった。

その第一は、医療制度の実態である。日本では、すでに部分的に医療崩壊が起きている。医療従事者はマスクなど備品不足のなかで疲労困憊している。この問題は専門家の解明に待つほかない。日本は「医療後進国」である。

第二は、貧富の巨大な格差が感染の違いを引き起こす。アメリカでは、黒人やヒスパニックが栄養の偏りで肥満となり糖尿病が多く、そのことが感染を促進した。世界的にも日本国内でも貧困層や社会的弱者にその被害を集中する。「格差社会」の特徴とその弊害が顕著に現れる。

第三に、政治制度のあり方を問う。ハンガリーやイスラエルでは、政権の独裁的性格がいっそう露わとなった。各国での民主政の質と限界を現わす。

第四に、もっとも重要なポイントであるが、資本制経済の限界が露わになりつつある。世界経済も大打撃を受け、二〇〇八年のリーマンショック以上の混乱と低落に陥り、原油需要の減少は原油貯蔵を維持するために原油価格をマイナスにする、かつて経験したことがない異常を生み出している。世界で五〇〇〇万人が失業した一九二九年の大恐慌の再来が強く懸念されている。アメリカと中国との対立の深化などについては、専門家による分析と予測に学ぶ必要がある。

第五に、自然と人間の関係についても問われている。環境破壊にほとんど考慮することのない、経済成長至上主義を転換しなくてはならない。インドでは、経済活動の低下によって、空気が浄化され、冠雪したヒマラヤ山脈が三〇年ぶりに目視されたという。自然を破壊する経済活動は止めなくてはならない。

新型コロナ感染によって、日常の生活が一変しようとしている。外出の制限が強化され、街で出会った友人との会話も好ましくない。家賃などの重圧などによる飲食店などの倒産が増え、芸術や演芸の場が失われ（文化の消失）、大学生の就職内定が取り消され、五人に一人が学費が払えず大学退学に悩んでいる。経済活動・工場の稼働が制限され、失業が増え、生活困窮者が窮地に陥っている。東京にはネットカフェ難民が四〇〇〇人もいる。学校封鎖は、児童・学生のストレス拡大、学力低下、オンライン学習による人間的触れあいの欠如は、性格異変をやがてもたらすだろう。「九月入学」への変更が話題とされているが、学校や「教学育」のあり方も問われている。

核家族化がはるか以前から問題となっていたが、一人くらしの高齢者はどうしたら良いのか。両親が感染したらその幼児は誰が面倒をみるのか。家屋の広さも重大問題である。豪邸に住む高額所得者なら家を出なくても済むが、一つや二つの小さな部屋で数人も暮らす低所得者はストレスを増すだけである。自粛の強化は、児童虐待やＤＶを誘発する。感染者、医療従事者などへの差別と偏見も起きている。労働現場ではテレワークが推奨されているが、印刷業やタクシーや小売店はテレワークは出来ない。だが、労働現場の変容は、これまでの秩序ややり方を崩すであろう。社会はこのままで維持・存続できるのかが問われている。

安倍晋三政権の危機管理能力の欠如

過ぎ去った時間を取り戻すことはできないし、過去の失政を非難するだけでは事態を打開することは出来ないが、安倍晋三政権の鈍感な対応についてだけは確認しておく必要がある。安倍首相は、武漢で「封鎖」が宣言された（一月二三日）後にもインバウンドの増加による経済効果を狙って「春節による訪日を歓迎する」と発言していた（後日、外務省は、北京の日本大使館のホームページに載せていたこの中国向けの祝辞を削除した）。そして、オリンピックにだけに集中していた。この危機管理能力の劣悪さが、現在の医療崩壊や爆発的感染すら予測される事態を招いたと言える。

四月七日に、政府は、新型インフルエンザ等対策特別措置法（三月一三日成立）による「緊急事態宣言」を東京など七都府県に発出し、外出や営業の「自粛」などによる接触機会の八〇％縮小を要請した。この特措法の最大の問題は、「自粛要請」と一体であるべき〈補償〉が定めてないことにある（適用に関して国会の事前・事後の審査を不要としている点も問題である）。安倍政権は頑なに「補償」を拒否している。安倍首相は「事業規模一〇八兆円」の経済対策を「世界最大」などと打ち出したが、実質的支出はわずか三九兆円というごまかしである。

与党内からも「悪評三点セット」（アベノマスク、星野源コラボ動画、減収世帯への三〇万円給付）と揶揄されるほどの愚策を重ね、支持率を急落させ、ようやく四月一六日に新型コロナ感染への対策として「国民一人一〇万円給付」に切り替えた（後述）。アベノマスクは郵送を開始した直後に不良品が七八〇〇枚も確認され、二一日に発送を停止した。四六六億円もの予算を投じた、内閣総辞職に値いする大失策である。何故か理由は不明だが、「赤旗」はほとんど取りあげない。

感染拡大の阻止と適切な対策のためには、実態把握と研究・新薬開発を急がなくてはならない。PCR検査実施をめぐる失策と問題点については、本稿では論究できない。また、個人情報の把握についても肯否両面を注意深く扱わなくてはならない。スマートフォンの位置情報から個人の移動が技術的には正確に把握されるが、その情報を国家が治安対策に利用することになったら、プライバシー保護は無くなる。活用を医療災害にだけ限定するとか、国家が何を掌握しているのかを市民が逆に知ることが出来るような双方向性が求められる。

地方自治体や非営利事業の役割も重大である。

ワクチンの開発には、ノーベル医学生理学賞を受賞した京都大学の山中伸弥教授が説いているように国家の枠を超えた共同研究が必要であり、そのためには特許取得の壁を打破しなくてはならない。トランプ大統領のような「自国第一主義」は百害あって一理なしである。

また、感染を壊憲策動に悪用しようとする邪悪な意図を暴露し批判しなくてはならない。だが、問題を取りあげ、論及する時に、そうした意図が全体的事態を決定していると非難したり、謀略史観に陥ってはならない。冷静な科学的・論理的思考を貫くべきである。

さらに、この事案に関連する情報や政府などの対応に関する記録を正確に保存することが絶対に必要である。将来における検討と対策のために不可欠である。

この問題に限るわけではないが、マスコミの責任も重大である。オリンピック報道や安倍忖度番組が多い中で、テレビ朝日の「羽鳥慎一モーニングショー」は、コメンテーターの玉川徹氏と白鴎大学の岡田晴恵教授がPCR検査の早期実施などを提案して、その危険性を強調し、視聴率を高めている。だが、首相官邸などはこの番組に圧力を掛けた。

そういう中で、山中教授のように自身のブログで積極的に発言、警鐘している研究者の存在も貴重である。

ウイルス危機に鈍感　重大な反省が必要

何よりも反省しなくてはならないことは、この新型コロナの脅威について全体として鈍感だったことである。私もその一人である。三月になっても安倍政権やマスコミは、オリンピックがどうなるかにだけ集中していた。

第一次世界大戦の終局、一九一八年から二〇年にアメリカ発の「スペイン風邪」が、世界で感染推計五億人、死者推計五〇〇〇万人の猛威をふるった。一七年のロシア革命を知っている人は多いが、「スペイン風邪」はそれほど知られていない。二〇〇二年にはSARS、一二年にはMARSを体験したとはいえ、ウイルス危機の存在を身近に感じていた人は多くはなかった。従来の唯物史観では欠落していたが、〈人類史と感染症〉という視点から歴史を捉え返すことも必要である。

この弱点は、三月に国会で新型インフルエンザ等対策特別措置法が政府から提案された時にも現れていた。今なお特措法発動反対だけを叫ぶ傾向が存在しているが、特措法改定案に対しては「人権侵害」にだけ批判が集中した。例えば、日本共産党の小池晃書記局長は、法律改正の三日前に記者会見して法案への反対を表明したが、その理由は「市民の自由と人権の幅広い制限」と法案審議の拙速だけであった。「人権制限」＝「自粛」要請にともなう「補償」には一言も触れていなかった。

各国による対応の相違

次に、新型コロナ感染に対する各国の対応、その違いなどについても知る必要がある。いずれ、専門家による研究が明らかになるであろうが、日本は経済的には先進国とされているが、「医療後進国」であることが暴露された。中国は感染発症地ではあったが、強硬な都市封鎖などによって、感染を抑えた（第二波が懸念されるが）。韓国は、二〇一五年のＭＡＲＳの経験に学んで検査施設・器具を早くに準備し、ＰＣＲ検査を広く実施して急速に感染を抑えることが出来た（その対応の適切さが、四月一五日の国政選挙での文在寅政権の与党「共に民主党」の勝利に結びついた）。ドイツでの掛かりつけ医師の多さやメルケル首相の指揮は好感を招いている。アメリカはトランプ大統領の無責任対応によって世界最大の感染者と死者を生み出している。

このような国際比較においては、各国の文化の相違も有意である。日本では玄関で靴を脱いで部屋に入るが、欧米では土足で部屋に移動する。手洗いの習慣の違いもある。日常の挨拶でハグしたりキスすることはない。清潔感にも違いがある。ＢＣＧ接種の有無も関係しているかもしれない。

「一人一〇万円給付」の理論的根拠

休業補償や家賃補助など緊急対策も急を要するが、給付対象に住民登録がある外国人も入っている「一人一〇万円給付」の理論的根拠をどのように考えるかについて問題にしたい。

私は、その理論的根拠は、憲法第二五条の「生存権」に求めるべきだと考える。人間は生まれたら生存する権理があることを共通認識にしなくてはならない。そのことを明確にするために、「一人一〇万円給付」を〈被災生存権所得〉と呼称するほうが良い。韓国では、京機道とソウル市で「災害基本所得（ベーシックインカム）」の支給を決めた[1]。イギリス、ドイツ、フランス、オーストラリアでは所得保障が素早く実施され、スペインでは「ベーシックインカム」の導入が検討された。

私は、「ベーシックインカム」が流行言葉になる以前（一九九九年）から〈生存権所得〉を創案し、九年前の東日本原発震災の直後に〈被災生存権所得〉を提起した[2]。

「一人一〇万円給付」は、抽象的に言えば〈生存権所得〉の初歩的一例である。資本制経済の原理は、土地と生産手段から切り離された労働者がそれらを私的に所有する資本家に自らの労働力を商品として売り、その対価として賃金を得ることによって生産を実現するところにある。この原理と〈生存権〉との関係については、カール・ポラニーが名著『大転換』のなかで明らかにしていた。

「賃金制度と『生存権』の共存が不可能であること、言いかえれば、賃金が公共の基金から助成される限り資本主義的秩序は機能しない。これほど明白なことはなかろう[3]」。

〈被災生存権所得〉の新設は、〈生存権所得〉へと発展する契機となり、それは〈労働力の商品化〉を基軸とする資本制経済を変革するテコとなる。資本制経済の限界が広範に暴露されつつある。利潤追求と経済成長を第一義とする資本制経済の原理の保持は、社会の破滅をもたらすのである。

日本の財政の実態について知識が無いので、論及することは出来ないが、「補償」の拡大には、その財源の確保が必要であることは自明である。臨時国債の発行が必要だが、今でも国債発行額は約一五三・五兆億円（一般会計の歳入全体の約三二％）にもなっていて、それとは別に高額所得者への増税を新設する必要がある。コロナ募金も必要である。また、防衛費の削減も必要である。韓国では防衛費を削って対策にまわしている。他方、安倍政権は、アメリカの戦闘機F15（一機およそ一一〇億円）を一四七機も爆買いし、維持管理費も含めると、総額は約六兆二〇〇〇億円となる。軍事による「国防」の無意味さを理解すべきである。ローマ・カトリック教会のフランシスコ教皇は、四月一二日、バチカンの復活祭のミサで「今は武器をつくり売買すべき時ではない。人びとを支え、命を救うために巨額を費やす時だ」と訴えた。さらに、軍備の廃絶へと進まなくてはならない。

〈友愛〉を基礎に〈被災生存権所得〉を

危機的事態の現出に際して、その苦難を突破する政策を策定するヒントになり得る理論的提案こそが意味あるものである。〈被災生存権所得〉はその一つである。そして〈被災生存権所得〉の基礎として〈友愛〉の大切さを身に付けることが必要である。「自由・平等・友愛」が一七八九年のフランス革命いらい、近代社会の普遍的な標語だと教えられてきたが、心のあり方が問われるこの難局において最も必要で大切なのは〈友愛〉である（「自由」の強調は社会の崩壊を助長するだけである）。この大切な心情・信条が、未来社会＝社会主義にも通じ、人類の未来を手繰り寄せる。一四世紀のペストの大流行が王政の崩壊とルネサンスの契機となり、資本主義時代の到来をもたらしたように、新型コロナは社会と世界のあり方を根底的に変革する前触れになるだろう。

外出自粛によって生き苦しさを感じながら、それでもなお、人類の存続と社会の回復を信じて、自らが選択した生き方を貫こう。パリの高層ビルの屋上で日本の女性歌手が美しい歌声で前向きな生き方を呼びかけたように。（五月四日）

〈注〉
(1) 四月一六日に衆議院第一議員会館で行われた対省庁交渉で主催者が配布した資料。
(2) 村岡到『協議型社会主義の模索――新左翼体験とソ連邦の崩壊を経て』社会評論社、一九九九年。村岡到『生存権所得――憲法一六八条を活かす』社会評論社、二〇〇九年。村岡到『ベーシックインカムで大転換』二〇一〇年。村岡到編『ベーシックインカムの可能性』二〇一一年。
(3) ポランニー『大転換』原著一九四四年。東洋経済新報社、一九七五年、一〇九頁。『生存権・平等・エコロジー』白順社、二〇〇三年、四三頁、『ベーシックインカムで大転換』二二頁など参照。

投書再録（『週刊金曜日』）

新型コロナで〈被災生存権所得〉を

与党内からも「悪評三点セット」（アベノマスク、星野源コラボ動画、減収世帯への三〇万円給付）

と揶揄されるほどの愚策を重ね、支持率を急落させている安倍晋三政権は、ようやく四月一六日に新型コロナ感染への対策として「国民一人一〇万円給付」に切り替えた。一刻も早く実施しなくてはならない。他にも休業補償、医療崩壊対策などいくつもの緊急対策が必要であるが、この「一人一〇万円給付」の理論的根拠をどのように考えるかについて問題にしたい。

私は、その理論的根拠は、憲法第二五条の「生存権」に求めるべきだと考える。人間は生まれたら生存する権利〔理〕があることをしっかりと共通認識にしなくてはならない。そのことを明確にするために、「一人一〇万円給付」を〈被災生存権所得〉と呼称するほうが良い。

私は、「ベーシックインカム」が流行言葉になる以前から〈生存権所得〉を提起し、九年前の東日本原発震災の直後に〈被災生存権所得〉を主張した。その最奥の狙いは、憲法と関連づけて考えること、さらに資本制経済の限界へと認識を深化させることにある。

経済人類学者で社会主義者のカール・ポラニーは一九四四年に著わした名著『大転換』のなかで「賃金制度と『生存権』の共存が不可能であること、言いかえれば、賃金が公共の基金から助成される限り資本主義的秩序は機能しない。これほど明白なことはなかろう」と明らかにしていた。

新型コロナは、社会のあり方を根本的に問うている。未来への希望を喚起するために経済の仕組みについてもその限界を知る必要がある。

〈追記〉この投書は『週刊金曜日』五月一五日号に掲載された。前稿と重なるが、広く読まれている雑誌に掲載されたので、本書にも再録することにした。

Ⅰ　左翼・社会主義者としての反省

左翼の致命的欠陥は何か

現在、二〇二〇年三月に開かれている国会の審議状況は「酷い！」に尽きる。「安倍一強」の下で政治の劣化・堕落はここに極まれりである。桜を見る会の安倍晋三首相による私物化、国会への提出資料の改ざん、「広く募っているが、募集ではない」なる安倍首相の答弁のでたらめは論外である。

何がこの劣化と腐敗を生み出しているのか。自民党と公明党の与党に対して、野党は「多弱」といわれ、中には公明党よりも自民党に近い日本維新の会までが存在する。

本稿では、敗戦後七五年間の日本の歩みをごく簡単に概観したうえで、日本政治の劣化がなぜ起きているのかについて、特に左翼のあり方、姿勢・責任について明らかにしたい。本稿では、左翼の理論的内実については取り上げない。

第1節　敗戦後七五年の日本の歩み

本節では、敗戦後七五年間の日本の歩みをごく簡単に整理する。

一九四五年八月、広島と長崎に原子爆弾が投下され、合わせて二一万人余が殺害される甚大な被害となった。この年三月には東京大空襲があり、全国各地が空襲された。日本政府は九月二日に東京湾上のアメリカ戦艦ミズーリで降伏文書に署名して〈敗戦〉となった（八月一五日よりも重要）。全国で工場も家屋も焼失し、まさにどん底からの復興であった。

敗戦によって沖縄は米軍基地の島として支配されることになり、一九七二年に施政権が返還されたが、以後も米軍基地は日本全体の七〇％を超え、災厄の原因となっている。五一年に日米安保条約が締結され、六〇年に日米地位協定が締結され、日米安保条約は改定された。

経済では、一九五〇年代後半には白黒テレビ・洗濯機・冷蔵庫が古代神話になぞらえて「三種の神器」と宣伝され、五四年末から七三年一一月の一九年間は日本経済は年平均一〇％以上の経済成長を達成し、高度成長時代を謳歌した。

一九五六年には「経済白書」が「もはや戦後ではない」と宣言し、エネルギーは石炭から石油に変わり、太平洋沿岸にはコンビナートが立ち並んだ。戦後解体された財閥が、再興した。この期間には、六四年に東京オリンピック、七〇年に大阪万博が開催された。六八年には国民総生産（GNP）が、当時の西ドイツを抜きアメリカに次ぐ第二位となった。八〇年代には「ジャパン　アズ　ナンバー1」などと浮かれた時代もあった。

だが、一九九〇年代初頭のバブル経済崩壊以降、長期停滞に陥った。九一年から二〇一〇年まで、日本の名目経済成長率は年〇・五％となり（アメリカ、イギリス、ドイツ、フランスなどは年三〜四％台）、「失われた二〇年」と言われるようになった。GNPは一〇年には急成長する中国に抜かれた。今では「失われた三〇年」とすら言われている。

国家予算では、一九五〇年代には一兆円予算と言われていたが、二〇一九年度予算案では当初予算として初めて一〇〇兆円を超えた。

このような経済成長のなかで貧富の格差が極大化しつつある。経済ジャーナリストの岩崎博充氏によれば、「世界第三位の経済大国でありながら、日本には高い貧困率という問題が存在している。七人に一人が貧困にあえぎ、一人親世帯では半数以上が貧困に苦しんでいる」。「日本の一人当たり可処分所得は年間二四五万円（中央値＝平均値、二〇一五年現在）だが、この平均値の半分しか所得のない世帯を貧困層と呼んでいる」。「ユニセフの調査によると日本の所得格差のレベルはOECD加盟四一カ国中、格差が大きい順に八位という報告がされている(1)」。まさに〈格差社会〉である。

次に政治の流れを見ておこう。

敗戦後、一九四七年五月三日に「三権分立」を基調とする新憲法が制定され、五五年に分裂していた日本社会党が統一し、自由党と民主党が合同して自由民主党が発足し、前者が国会の三分の一を占めることになった。以後、長く自民党と社会党が共存する「五五年体制」と言われてきた。九一年末にソ連邦が崩壊し、戦後世界の基本的枠組みとなっていた「米ソ冷戦」が終息した。

九三年に細川護熙首相による連立政権が誕生し、翌年、選挙制度の大改悪＝小選挙区比例代表並立制となり、それ以降が「ポスト五五年体制」と言われるようになった。九六年に左翼の主流であった社会党は解体された。

九九年に自民、自由、公明の三党が連立政権を樹立した。現在の安倍政権を支える自公連立の起源である。

二〇一〇年には鳩山由紀夫首相による民主党政権が誕生したが、菅直人政権、野田佳彦政権と交代しわずか三年で、一二年には安倍首相による自公連立政権に揺れ戻り、今日に到っている。

二〇一五年九月、安倍政権は自衛隊の海外派兵を法律的に可能とする安保法制の改悪を強行した。

このように、敗戦後七五年間に、五五年体制、六〇年安保闘争、公明党の与党化、民主党政権の誕生と挫折、二〇一五年の安保法制の改悪が、主要な出来事、節目となってきた。

また、二〇一一年三月一一日に、福島県で東日本原発震災が発生し、以後、〈脱原発〉が国政の一大争点となっている。

他の分野での主要な動向では、第四の権力とされるマスコミの影響力がきわめて大きい。

労働者人口は約六五〇〇万人で、労働組合の組織はこの一五年間は約一〇〇〇万人台に低迷し、組織率は一七%に満たない。一九六〇年代には「昔陸軍、今総評」などとまで言われていたが、総評（日本労働組合総評議会、四五一万人）は一九八九年に解散して連合（日本労働組合総連合会、約七〇〇万人）が結成された。

また、農業の位置も下がり、農村は疲弊している。農業（林業・水産業除く）の国内総生産は、二〇一六年で五兆二三九九億円で、全産業の約一％。就業人口は一九五五年に六〇四万人だったが、二〇一五年に二一五万人と三分の一に激減した。その七〇％近くが六五歳以上である。

その他、教育、医療、地方自治についてもしっかり認識しなくてはならない。

第2節　新左翼の登場と衰退

政権の変遷とは別に、新左翼の登場と衰退について明らかにする必要がある。

戦後最大の国民運動の高揚を実現した一九六〇年の安保闘争において、新左翼が登場した。五六年のハンガリー事件（ソ連軍によるハンガリーへの軍事行動）に直面して、「スターリン主義」を問題として取り上げ、濃淡の違いはあれ、「スターリン主義批判」を党派的主張として押し出した。当時は、日本共産党はソ連邦や中国を丸ごと肯定的に、「社会主義国」と評価していたので、そこが大きな論点＝争点となり、「スターリン主義批判」が新左翼の存在根拠となり得た。「社共（社会党と共産党）」に代わる前衛党」が合言葉となった。

六〇年代後半には、五流二〇派とも言われるほど分岐していた新左翼諸党派は大学に浸透し、どこの大学でも「全共闘（全学共闘会議）」が組織され、学生運動の高揚を創り出した。ベトナム反戦闘争などに数十万人を結集して国会デモや大集会を実現した。六九年一月には東大時計台闘争が展開された（私事ではあるが、東大職員であった私も参加）。やがてデモはヘルメットや角材によって

「武装」することになり、「武装闘争」を呼号する党派まで現れた。また、党派間での対立が激化し、互いの活動家を殺害するまでになった（その総数は一〇〇人以上？）。「内ゲバ」なる新語が生まれた。「内ゲバ」とは「国家権力に対するゲバルト（暴力）」ではなく、「左翼内部でのゲバルト」を意味する。新左翼諸党派は、その出発点も系統も雑多で幾つ存在したかも定かではないが、毛沢東思想に近いと言われる連合赤軍派の末路が象徴的である。

一九七二年二月、連合赤軍派の五人が軽井沢のあさま山荘で警察と銃撃戦を起こした。それは連日、テレビ中継された。続いて、逮捕者の自供によって、前年末に南アルプスの中で一二人のメンバーを「総括」として殺害していたことも明らかとなった。この連合赤軍事件は、マスコミでも連日大きく報道され、一つの時代の終焉を強く印象づけた。以後、新左翼諸党派は衰退の一途を転げ落ちることになった。

「内ゲバ」に原則的に反対し、批判を加えた党派も存在する。トロツキーの流れを受け継ぐ第四インターである（私は一九七五年から五年間、在籍）。

この間に離合集散を繰り返し消滅した党派も多く、なお存続している党派もいくつかあるが、いずれも近年は縮小・減退している。新左翼党派はたまに国政選挙に立候補することはあったが、国会議員を一人も生み出すことが出来なかった。六〇年代にはどこの大学のキャンパスにも立て看（板）が林立していたが、今やほとんど姿を消してしまった。学生はアルバイトと学生ローンに苦しんでいる。なお、大学進学率は、一九六〇年に一五％だったが、二〇一八年に五八％に上がった。

社会を、〈経済・政治・文化〉の三つの次元・領域から複合的に把握することをめざす〈複合史観〉からすると、次に〈文化〉についても論及しなくてはならないが、私にはその能力はない。簡単に分かる大きな変化をいくつか上げよう。

一九五〇年代には白黒テレビすら高価・貴重であったが、今や誰もがスマホやラインを楽しんでいる。私的な出来事が直ちにネットでカラー写真付きで公開されるように大きく変化した。娯楽のあり方も大きく変容している。紙の出版物は大幅に衰退し、街の書店は急速に減っている。書店調査会社のアルメディアによると、一九九〇年代の終わりに二万三〇〇〇店ほどあった書店は、二〇一八年には一万二〇二六店にまで減少した。

人口は二〇〇四年の一億二七八四万人（高齢者約二〇％）をピークに減少し、二〇五〇年には九五一五万人（高齢者約四〇％）と予測されている。家族のあり方も今や核家族が増え、少子高齢化が進んでいる。地方では限界集落が増え、都市での空き家の増加が衛生や治安の劣化を生み出している。

外国人の居住も多くなり（二〇一八年に特別永住者と中長期在留者を合わせて約二六四万人）、二〇一八年の訪日外国人数は、前年比八・七％増の三一一九万人である。小学校低学年から英語を習っている。

このように敗戦後七五年間に日本の生活のあり方は激変した。

第3節　左翼とは何か

「内ゲバ」に代わる「新語」として「リベラル」なる用語が一九九〇年代から使われるようになった。「リベラル」とは元もと、「自由な」「自由主義の」「自由主義者」などを意味するが、「右翼＝保守vs左翼＝革新」の対立軸を後景に退けて、「右翼＝保守vsリベラル」という対立軸を前面に出す傾向が増えてきた。「左翼」という括り方は流行らなくなった。

だから、「左翼」を論軸にして考えること自体が不適切だと思う人もいるだろう。だが、そうではない。なぜ「左翼」は成長できなかったのかを問わなくてはならないのである。

「左翼」とは何か。前節では、言葉を定義することなく、常識の範囲で概観しただけであるが、その意味を確定するほうが良い。

七年前、二〇一四年に発表した「〈左翼〉の猛省・再興を――〈友愛〉の定位が活路」(2)で書いたのでそのまま引用しよう。

「左翼」とは周知のように、一八世紀末のフランス革命の後の国会で議長の右側の席を保守派（ジロンド派）が、左側の席を急進派（ジャコバン派）が占めたことに由来する用語で、時の政権への反対派の略称である。歴史的にどの国でも左翼が政権に就くことは稀であり、ほとんどの国家は資本主義なので、「左翼＝反資本主義」と理解されている。日本の場合では具体的には社会党と共産党と新左翼などを指す。社会党は一九九六年に消滅したし、新左翼はまったく衰退した。共産党は現勢保持に汲々である。

何度も取り上げているが、「民に権理とは何事か」――町人は斬り捨て御免だった徳川時代を二五〇年も重ねてきた日本、全面的というわけではなかったが「鎖国」してきた日本では、一九世紀後半、明治維新（一八六八年）の後でもこれが知識ある者の常識だった(3)。

このように、民主政にはほど遠い日本社会では、戦前には左翼、特に日本共産党は、非合法とされ、党員が数多く逮捕・投獄される激しい弾圧を加えられてきた。奥平康弘氏によれば、一九二五年に制定された「治安維持法による検挙者は、一九三一年の一〇、四二二名から……三三年の一四、六二二名」である(4)。

遠い昔の出来事ではなく、弾圧の直接の被害者で存命している人はごくわずかになってきたとはいえ、なおその影響は払拭・消去されているわけではない。「アカ」というアラームがなるレッテルは今でこそほとんど聞かなくなったが、世間では七〇年代には「アカ」には近づいてはいけないと警戒されていた。

そうした社会状況を土台・背景として、左翼は自らを守るために頑なに自己防衛する習性を強く身にまとうことになった。このことについては、左翼だけの責任ではなく、社会全体のあり方として反省し、改善しなくてはならない。優れた宗教学者・中村元氏が明らかにしているように、その根底には「人間結合組織を絶対視する傾向(5)」がある。

だが、それだけではなく、左翼のなかにも自己防衛が過度の自己主張となる傾向を内在させていたことを見落としてはならない。必要以上に他者を批判・非難、攻撃する習性が強かった。自省しなくてはならないが、未熟な人間は感情が先走り、暴力に訴えたり、筆を滑らせてしまう。

何かの問題で明確に態度表明することは、ほとんどの場合に必要で大切である。イエスでもノーでもなく、あいまいに「どちらでもない（良い）」とする態度は、けっして望ましくない。だが、難問に対して決然とイエスを選択する、その次の態度が問題なのである。ノーを選択した人や「どちらでもない（良い）」という人に対してどのように接したらよいのか、そこが問題である。自分の選択が多数である場合とそうではない場合とは異なることもあるが、いくつかの態度を想定できる。

A：それらの人を徹底的に「敵」であるかのように非難・排撃する。

B：寛容に、問題点を指摘し、対話を求める。

C：それらの人びとに関わることなく、我が道を貫く。

どれを選ぶべきか。問うまでもなく、Bがベストである。自らがどの局面でもそういう態度を貫ける（た）かどうかは難しいが、そういう寛容な対話姿勢を保持するためには何が必要なのであろうか。私はそこに貫かれるべき信条・心情は〈友愛〉だと考える。「平等」でも良いが、上から目線になり易い。「自由」ではCになるだろう。この三つの徳目を上げたのは、それぞれの濃淡は別として「自由・平等・友愛」として一般的に受け入れられているからである。

この問題は、次節で取り上げる「人間をどのような存在として理解するか」という大きな問題につながっている。

ところで、ここで、「なんじの道を進め、そして人びとをして語るにまかせよ」なる一句を想起する人もいるだろう。というよりも、マルクスを好む人なら必ず知っているはずである。この名句は、マルクスが『資本論』初版への「序言」の結びに記したものである。つまり、左翼やマルクス主義者は、マルクスのこの迷句にも助けられて前記分類のCを自分の態度にしていたのである。マルクスの限界については、「マルクスの歴史的意義と根本的限界」(6)で詳述したのでここではこれだけにしておく。

本稿の初めに「左翼の理論的内実については取り上げない」と断ったが、マルクス由来の「階級闘争」の強調がこの傾向を基礎づけ、助長した。

こうして、左翼は、「視野狭窄」と「唯我独尊」の傾向を強めることになった。自分が選んだ特定の問題だけが一番重要で、他者が取り上げる課題は二次的な問題だと切り捨てる。そして、実践している自分だけを真理の体現者と見なし、他者はみな劣っている・誤っていると蔑む習性が染みこむようになった。さらに、対立と敵対を煽る傾向が強かった。デモや集会では「憎しみの坩堝に赤く燃ゆる」と高唱していた。この姿勢が高じると新左翼の「内ゲバ」となる。そこまで堕落しない場合でも、共産党のように新左翼党派を「ニセ左翼暴力集団」だとか「トロ」(まぐろではなく、トロツキスト)と蔑称することになる(近年は使われない)。逆に、新左翼の一部では、民青(日本民主青年同盟)を「ミンコロ」と罵倒する。

また、理論と実践との関係について、一面的に実践を強調するあまり、理論の独自の重要性について軽視する傾向に陥った。

あるいは、ジャルゴン（仲間内の符丁）の横行も特徴的であった。仲間意識を高める効果を狙ったからである。「ドイデ」「ニッカクテン」「シャミン」「ゲバる」「プロ独」「ブル転」などである。順番に、マルクスの『ドイツ・イデオロギー』、宮本顕治の『日本革命の展望』、社会民主主義・社会党、暴力を行使する、プロレタリア独裁、ブルジョアジーへの転向・運動からの離脱、の意味である。これらのジャルゴンで会話することによって仲間意識を増幅させていた。

このような唯我独尊の態度は、未熟な青年には「強さ」と受け取られ、そこに没入する場合もあるが、大抵は傲慢な態度として嫌われるほうが多かったに違いない。

そういう苦い体験を知っている者からすると、二〇一六年の「赤旗」元旦号で、共産党の志位和夫委員長が中野晃一氏との対談で他者への「リスペクト」を取り入れ、以後、良く口にするようになったことは大きな変化であり、共感に値いする。

第4節　複雑・多様な人間存在

改めて言及するまでもなく、「森羅万象」の四文字が示しているように、人間は複雑・多様な存在である。そして有限で短命である。芸術家、スポーツ選手、曲芸師、とさまざまな活動が才能と好みによって展開され、超人的能力が発揮されている。人間の〈多様性〉については、私は、二〇〇二年に「多様性と自由・平等」で、「マルクス主義は〈多様性〉を軽視」と節（第2節）を立てて明らかにした。(7)

学問・理論の分野では、憲法の全条文を暗記できたり、多方面の知識を備えている人もたまにはいるが、普通の人が知ることが出来る問題や知識はごく限られている。青年期に読書する範囲は限られていて、分野や傾向が異なる著者を二桁も学ぶ人は少ないだろう。さまざまな分野や傾向をそれなりに知った後で、そこから誰か、何かを選択するわけではない。普通は、職場や学校で先輩や友人から読書を勧められ、その著作や理論に同感・感動してその系統の活動に参加するようになる。粘り強い青年は自分の問題意識に合致している著作や著者に没頭することになる。その場合でも絶えず新しい知見によって自らを豊かにしていくことが望ましい。

だが、次つぎに目移りして変節してよいわけではない。私が敬愛する哲学者・梅本克己さんが論しているように、「人間は変わるものだという。……本当に新しい目をもつためには変わらねばならぬ。ただどんな風に変わってきたか、そのけじめだけは忘れたくない」。(8)「けじめ」を明確にすることが大切である。同時にもう一つ、注意しなくてはいけないことがある。

身長が低い人の言うことには絶対に同調しない、などと言う人はいないであろう。しかし、αに反対した人のBについての意見には同調しないというケースは少なくない。ここではαとBは同一次元、あるいは類似問題ではなく、別個の論点とする。分かりやすく言えば「坊主憎けりゃ袈裟まで憎い」という慣用句である。このような不自由な態度は取ってはいけない。

さらにもう一つ。「否定面の理解をともなわぬ肯定が弱いものであるように、肯定面の理解をともなわぬ否定は弱い」[9]——これもまた、梅本さんが諭した深淵な教訓である（この梅本さんについては『日本共産党をどう理解したら良いか』の「あとがき」[10]でも触れた）。

前節で理論と実践との関係について短絡的に実践を重視する傾向に触れたが、この問題については、私は安保闘争の翌年に宇野弘蔵の『「資本論」と社会主義』から学んだ。宇野は「実践」の意味を「政治的な組織的活動」と理解したうえで、「党の決定は、理論の科学的正否を決定するものではありません」と明らかにしていた[11]。私は読書に際してほとんどの場合、どういう著者であろうと、あるいは同意できない叙述があったとしても、別の頁に書いてある正しいと考える指摘や認識については共感し学ぶようにしている。読書の前に、自分のこれまでの考え方・理解がひっくり返されることになるのかもという心配を抱く著作もあるが、それでも読み進むと学ぶこともある。

普通の人は、命を掛ける岐路に直面することは稀にしかないだろうが、難題にひるむことなく決然と対決し、同時に理想的にはユーモアも忘れずに対処することがベストであろう。それが、友愛を心とする、社会主義を志向する〈左翼〉の本来の根本的姿勢なのではないであろうか。私は、そのような姿勢を心がけて、山積する難題に挑戦しつづけていきたい。

〈注〉

(1)　岩崎博充「日本がはまり込んだ深刻な『貧富格差』の現実——所得格差のレベルは先進国でワ

ースト8位」：「東洋経済ONLINE」二〇一九年一月二二日。

(2) 村岡到「〈左翼〉の猛省・再興を――〈友愛〉の定位が活路」：『貧者の一答』二〇一四年、に収録。

(3) 平野義太郎論文：長谷川正安・藤田勇編『文献研究・マルクス主義法学（戦前）』日本評論社、一九七二年、六四頁。村岡到『連帯社会主義への政治理論』五月書房、二〇〇一年、一三六頁で論及。

(4) 村岡到『共産党、政党助成金を活かし飛躍を』二〇一八年、一四三頁。

(5) 中村元『日本人の思惟方法』普及版、春秋社、二〇一二年、二七二頁。『友愛社会をめざす』（二〇一三年）の「序章」で触れた（七頁）。

(6) 村岡到編『マルクスの業績と限界』二〇一八年、一一七頁。

(7) 村岡到『ソ連邦の崩壊と社会主義』二〇一六年、三七頁。マルクスは逆に、「諸個人の全面的な発展」を強調する。このマルクスへの私が加えた批判について、森岡真史氏が『ソ連邦の崩壊と社会主義』への書評で「きわめて鋭い指摘である」と評した（森岡真史「マルクス主義の責任の明確化」。村岡到編『ロシア革命の再審と社会主義』二〇一七年、一六一頁。

(8) 梅本克己『革命の思想とその実験』三一書房、一九六九年、二七三頁。

(9) 梅本克己『マルクス主義における思想と科学』三一書房、一九六四年、一三〇頁。

(10) 『日本共産党をどう理解したら良いか』二〇一五年、一五二頁。

(11) 宇野弘蔵『「資本論」と社会主義』岩波書店、一九五八年、一四頁、二四頁。後年に刊行された、梅本克己との共著『社会科学と弁証法』（岩波書店、一九七六年）も熟読した。

〈追記〉コロナ禍にだけ注意が向いているが、六月一八日告示の東京都知事選挙前一カ月になっても野党は統一候補を決定できない。この無様な無対応が「安倍一強」を許しているのである。

マルクスの致命的弱点

第1節　マルクス批判の前提

本稿では「マルクスの致命的弱点」を明らかにしたい。その目的は、マルクスの不朽の優位点を活かすことにある。あえていささか挑発的な書き方を選んだが、問題がきわめて重要であることを強調したいからである。私が敬愛する哲学者・梅本克己さんは、「否定面の理解をともなわぬ肯定が弱いものであるように、肯定面の理解をともなわぬ否定は弱い(1)」と教えていた。私は、この教えを活かしたい。芸術家の岡本太郎は「三日月は、それが負うた影の部分の実体をかかえている。欠けてはいても、その全体を予感させて、若いままに充実しているのである(2)」と書いていた。

マルクスの不朽の優位点とは何か？　まず、マルクスが主著『資本論』で明らかにした「資本制経済の本質」についての解明である。マルクスは次のように解明した。資本制経済では、生産の動機・目的は利潤であり、土地と生産手段との私的所有を基礎に、〈労働力の商品化〉による、賃労働と資本との対立を基軸として実現する。生産物の交換では価値法則が貫かれている。別言すれば、労働者が生み出した剰余価値を資本家が搾取する。これが、「資本制経済の本質」についての、マルクスによる原理的解明である。

さらに、マルクスが優れていたのは、「資本制経済の本質」を明らかにしたうえで、資本主義時代を「人類前史の最終章」と位置づけことにある。なぜ「最終章」なのか。その理論的根拠については、資本制経済の核心は〈労働力の商品化〉にあると強調する宇野弘蔵が一九五一年に明らかにしていた。宇野は「社会科学としての国家論」で、「資本家と労働者との間の所謂搾取関係」について、「資本主義社会は、この所謂搾取関係を形式的には何等の支配服従関係なしに行うのであって、それはそのままでは階級社会としてはあらわれない。単なる商品の売買を通して、売手と買手との自由平等の関係を通して、所謂搾取関係が形成されている」と説明したうえで、「この点にこそ社会主義が資本主義をもって人類の歴史の前史が終わるという根拠も与えられる。……搾取の形式自身がもはや他のものを許さない極点にまで達している」(3)からであると明らかにした。

さらにマルクスは、この「最終章」を超克することを主張した。ただ、この点については、その未来社会を何と命名したら良いのかについて、時代的制約もあり、時に「社会主義」と言い、また「共産主義」とも書いた。「前史」の後は何とすべきか、不明であった。

この弱点が災いして、社会主義像はなお未確定で、かつ「後史」が良いか、「本史」が良いか、理解が分かれている。私は、梅本さんに学んで、〈後史〉が良いと考える。(4)逆に、日本共産党の不破哲三氏は「本史」説である。だが、「前後」とは言うが、「前本」とは言わない。何よりも、「前史」は、学ぶことのない抜け殻ではない。「本史」説は、共産党がソ連邦などの経験を「社会主義とは無縁」と切り捨てる誤りと通底している。

一六世紀にイギリスなどで社会の主要な部分で形成・確立した資本制経済は、その後、世界各国に広がり、重商主義を経て一八世紀後半から産業主義、一九世紀後半から帝国主義、と支配的資本の形態を変えてきたが、その本質はいずれの段階でも貫かれている。したがって、マルクスのこの解明は、今日なお有効である。そうであるが故に、一九九九年にイギリスのBBC放送は「過去千年で、もっとも偉大な思想家は誰だと思うか」というアンケートの結果、「マルクスが第一位」だと発表した。このことは、不破氏も『マルクスは生きている』で言及していた。[5] マルクスのこの不朽の優位点を明確に確認したうえで、「マルクスの致命的弱点」を明らかにしなくてはならない。

ここで、私の個人的体験を記すのは気が引けるが、私は、高校生時代に六〇年安保闘争の後で、マルクスの「疎外された労働」論を、本屋で立ち読みした、淡野安太郎の『初期のマルクス』[6]で知り、六一年末に、この論文が収録されている『マルクス・エンゲルス選集』補巻4を読んだ。それがいわば私の左翼人生の思想的出発点であった。[7]

第2節　マルクス批判の経路

マルクスの「疎外された労働」論に傾倒した私が、マルクスやマルクス主義を批判的に考えるようになった経路を振り返ってみたい。

転機となった著作がある。オーストリアの法学者アントン・メンガーが一八八六年に著した『全労働収益権史論』である。一九九八年三月に神田の古本屋で見つけた。訳者は森戸辰男で、一九二四年に刊行された。「旧版訳者序」の最後に日付として「大正九年（一九二〇年）十月四日入獄の日の朝」と記されている。東大助教授の森戸は、「クロポトキンの社会思想の研究」を発表したことで「朝憲紊乱罪」によって起訴された。この書名は、『資本論の誤訳』[8]の著者広西元信さんから教えられていた。メンガーは〈生存権〉を「社会主義」の「経済的基本権」[9]の二番目として明確にしていた。メンガーは、「剰余価値と唯物史観の両者に関連して、……マルクスは偉大なる貢献をなした」とも書いていた。その後、このメンガーをエンゲルスは「法曹〈法学〉社会主義」[10]と罵倒していたことを知った。そのせいで、共産党は「生存権」を嫌い、「生存の自由」なる不自由な新語を使っていたが、二〇〇四年の党綱領改定で、廃語にした（だが、新綱領では「生存権」とも書かない）[11]。なお、森戸の努力にもよって憲法第二五条に「生存権」が明記されたのである。

私は、この年に従来の通説であった「社会主義＝計画経済」のドグマを超えて「〈協議経済〉の構想」を書いた時に、プレオブラジェンスキーが一九二六年に著した『新しい経済』で「マルクスとエンゲルスとは……ソビエト経済の発展によって提起される夥しい諸問題については何も述べていない」[12]と明言していたことに注意を喚起した。マルクスやエンゲルスに頼るだけではダメなのだと分かった。

ここで小論のバランスを崩すことになるが、プレオブラジェンスキーについて『新しい経済』の訳者・救仁郷繁の「訳者あとがき」によって少し触れることを許してほしい。プレオブラジェンスキーは、一八八六年に牧師の家で生まれ、一九二〇年にロシア共産党の中央委員会書記局（三名）に入り、二〇年代初めからトロツキー派の指導的理論家となり、スターリンの粛清によって三七年に公判なしに死刑・銃殺された。I・ドイッチャーは、「彼は理論家で、恐らくもっとも独創的なボリシェビキ経済学者であったろう」[13]と高く評し、「彼は生粋の反対派であって、その性格には、利己心や日和見主義の跡はみじんもなかった。彼の弱みは、……便宜主義と人気とを完全に無視したこと、彼の見解が首尾一貫していたことである」と『武力なき予言者トロツキー』で書いた。『新しい経済』は、ロシアでは「禁書」とされた。トロツキー選集を刊行した現代思潮社から一九六七年に訳書が出された。そのために共産党系の世界では読まれなかった。ロシア革命では彼に限らず、高潔で革命に献身した人は少なくないが、それらの営為を、共産党のように「社会主義とは無縁」と切り捨てることがいかに大きな誤りであるかについても付言する必要がある。本筋に戻ろう。

次に、翌年末、法学者の尾高朝雄著『法の窮極に在るもの』[14]を一読して衝撃を受けた。社会の存続にとって法と法律が決定的位置を占めることを教えられた。「社会あるところ法あり」である。

それまでマルクスにならって経済学の本を少しは読んでいた私は、法学の重要性を知った。尾高に導かれて、グスタフ・ラートブルフの『社会主義の文化理論』を読んだら、「社会主義はある特定の世界観に結びつくものではない」[15]と書いてあった。私は、尾高がウイーンに留学したオーストリアの社会主義を学ぶ必要性を痛感した。この時に書いたのが「レーニンとオーストリア社会主義」[16]である。

私は、二〇〇〇年末に書いた「『唯物史観』の根本的検討」で〈複合史観〉を提起した。翌年に発表した「則法革命こそ活路――民主政における革命の形態」などを『連帯社会主義への政治理論』として一書にまとめた時に、そのサブタイトルに「マルクス主義を超えて」と付した[17]。その後も、二〇〇三年に中国翻訳局と武漢大学の共催によるシンポジウム「マルクス主義と現代世界」に招待されたさいに報告要旨として書いた「マルクス（主義）の致命的欠陥[18]」のサブタイトルに「マルクスは民主政を理解できず」と加えた。

さらに、二〇〇五年に『社会主義はなぜ大切か――マルクスを超える展望』を著した時に、その「第三章『社会主義』に託してきたもの」で、「初期社会主義」を整理した後で「マルクス主義的社会主義、その欠陥」として「マルクスの五つの欠陥」を指摘した。「友愛や平等の軽視」、「法学的考察の軽視」、「民主政」理解の不十分さ、「農業の過小評価」、「思考法と態度の唯我独尊の傾向[19]」である。

一昨年、私は「マルクスの歴史的意義と根本的限界[20]」を書いて再説した（本稿では、この論文と重複する部分がある）。前記の五点に加えて、宗教についての理解が偏奇していたことを明らかにした。「宗教はアヘンである」に示されている、この問題は別稿「宗教と社会主義」と「社会主義と宗教との共振[21]」を参照してほしい。

昨年、私は友人の桜井善行氏の『企業福祉と日本的システム[22]』をロゴスから出版した。この著作を通して、一言で「賃労働と資本」と言うが、その現実的形態はきわめて複雑であることを学んだ。それで、『資本論』の「労働日」を読み返した。そして、次のことを新しく「発見」した。節を改めて明らかにしよう。

第3節 『資本論』で欠落した「国家」

『資本論』が主題としたのは、言うまでもなく「資本制経済」の解明である。マルクスは、生産過程に焦点を当て、そこにその基軸として〈賃労働・資本〉関係が存在することを突き止め、そこに、資本家による賃労働者からの搾取の仕組みを抉り出した。この理論的分析は、エンゲルスも賞賛するように、マルクスの「不朽の」と形容しても良い優れた成果であった。だが、マルクスは、〈賃労働・資本〉関係の現実を包括的に解明することはしなかった。

日常生活でも「長所の裏に短所あり」という。何かを絞り込んで考察すると、それを取り巻く全景が見えなくなる。遠くから全景を見渡せばさまざまな事物を観察することができる。逆に個別の事物の細部がどうなっているかは掴めない。したがって、遠近両面からの考察が大切で必要となる。

残念ながら、マルクスの場合には〈賃労働・資本〉関係を抽象的に捉えることには成功したが、そこで捨象されたものが余りにも大きかった。マルクスは、〈賃労働・資本〉関係が現実には極めて複雑な要素・関係を通して実現することを見落としてしまったのである。

「労働日」は、『資本論』第三篇「絶対的剰余価値の生産」の「第八章」[23]である。そこでは七つの節を立てて一三五頁余も割いている。「労働日」つまり労働時間をめぐる、労働者と資本家との攻防が一九世紀の「イギリスの工場立法」を例にして克明に記述されている。だが、この「工場立法」がいかにして制定されたのかについてはまったく触れない。言うまでもなくイギリス議会が決定して制定した。国家が制定した法律だからこそ、拘束力を発揮できる。つまり、ここで決定的な役割を果たしたのは「国家」である。だが、この章には「国家」とは一言も書かれていない！

そこで、『資本論辞典』で「国家」を引くと、冒頭に「『資本論』をみずからその続きをなすものといっている『経済学批判』の〈序言〉の冒頭で、マルクスは、……」と書かれている。妙な書き出しである。この辞典では、他の多くの項目では、『資本論』からの引用によって説明している。つまり、『資本論』では、「国家」については何も書かれていないということである。一頁半も使いながら、マルクスの執筆プランの経過を説明するだけである。引用ではなく、「資本による賃労働支配の要具たるブルジョア国家は、……」と書いてあるが、「民主主義」にも触れていない。「要具たる」だけでは説明不足である（原田三郎執筆）。

つまり、『資本論』では「国家」が欠落していたのである。経済学の著作なのだから「国家論」に踏み込む必要はないが、もしその重要性を意識しているなら、せめて「ここでは国家についての論述はしないが、別に明らかにしなくてはならない」と一言だけでも断るべきである。

このように結論すると、マルクスは『資本論』初版を一八六七年に出した後も思索を重ねていて、国家についても認識の前進・進化がある、という反論を招くかもしれない。それはそれで研究したほうが良い。

私は、二年前に書いた前記の「マルクスの歴史的意義と根本的限界」で、「第2節　マルクスの貴重なヒント」として、「そこ〔共産主義社会〕では現在の国家機能に似たどんな社会的機能が生き残るだろうか?」[24]という一句に着目・再説した。これは、一八七五年にかかれた私信「ゴータ綱領批判」からである。この私信は、『ゴータ綱領批判』の望月清司の「訳者解説」によれば、「マルクスが抱懐してきた共産主義の未来像とそれへいたる道を、あるていどまとまった形で表明した、ほとんど唯一の文書である」[25]。

ここがしっかりと認識されていれば、エンゲルスやレーニンのように「国家の死滅」と安易に願望することは防がれたに違いない。だが、私の狭い読書の範囲では、マルクスのこの一句を引用した例を見たことはない。

さらに、知るほうが良い事実がある。『資本論』は何版も出版され、一八七二年にはフランス語版も出版され、七三年にはマルクス自身による「第二版への後書き」が書かれ、マルクス没後にはエンゲルスが八三年（マルクスの没年）、八六年、九〇年に「序言」などを付している。つまり、もし欠落に気づき、それが重大だと考えたのなら、訂正・補足する機会はあったのである。フランス語版でも直されてはいない。したがって『資本論』では「国家」が欠落していたと強めて結論することが可能でもあり、必要でもある。

国家の果たす大きな役割について明確に意識していれば、税金の重要性や税制のあり方についても論及しなくてはならないと気づいたであろうが、それは切り捨てられてしまった。『資本論』で税制が取り上げられていなかったことについては、私は、二〇一一年に「税制の基礎知識[26]」で注意を喚起した。『資本論辞典』では「租税制度」の項目に「『資本論』では……一般的には租税ないし租税制度についてはほとんど関説されていない」（武田隆夫）と書いてある。せめて、「資本制経済の段階論では税制は重要な位置を占める」とでも一筆すべきだった。マルクスがそうは書かなかったから、マルクス教条主義者たちは、税制については軽視・無視することになってしまった。

同じように、後年にマルクス経済学を継承する経済学者が、前記の桜井氏が解明・強調する「企業福祉」にも目配りし、論及できたはずである。

マルクスの国家論や法律論について、これまた宇野が前記の論文で言及していた。宇野は、「国家論や法律論が、経済学の原理論のように科学的に完成されているといったのでは、むしろマルクスの科学的精神に反することになる[27]」とか、「今日の国家や法律をアタマから階級的だといったのでは、何人も十分には納得しない」と含みをおびた書き方をしている。

宇野理論を継承している伊藤誠氏が一九八七年に置塩信雄との共著『経済理論と現代資本主義』を刊行した。本書は、両者のノートの交換による近代経済学者とマルクス経済学者の対話としてユニークな試みであり、学ぶことも多い。だが、そこでも「国家」については、「Ⅶ　国家の性格」と章立てして取り上げているが、「一致点」として二〇〇字ほど要約されているのは「置塩、伊藤ともに資本主義における国家が労働者階級をはじめとする勤労人民を抑圧するはたらきを行っているという点で共通である」という簡単なもの（傍線は村岡）で、伊藤氏は、レーニン型の「正統派的見解」には限界があることを指摘したうえで、「国家の基本規定をめぐる問題の諸点は、宇野理論においても十分解明されているところとはいえない」[28]と慎重に書いている。本稿執筆中に受講したが、伊藤氏によれば、「宇野は国家論は原理論ではなく段階論のレベルで解明したほうが良い」としていたそうである。[29]

残念ながら、国家論が不明確であるということは、マルクスは、近代社会の政治制度を正しく理解できなかったということである。この点でのマルクスの認識が不十分であったことは、『マルクス・カテゴリー事典』で、田口富久治氏が「国家」の項目で「マルクスの国家理論は全体として未完成のまま残された」と書き、加藤哲郎氏が「政党」の項目で初めに「政党一般についてのマルクスの言説は、体系的に展開されたわけではない」と書き、最後に「マルクスの政党論から学びうるものは多くない」と遠慮がちに結論している通りである。加藤氏の項目は「政党」であるが、近代の政治においては政党は不可欠の決定的位置を占めているから、引用中の「政党」を「政治」に置き換えても良いだろう。

もっとも重要な問題は、マルクスはなぜこのように考えたのか。その根拠を明らかにしなくてはならない。そうしないと弱点を克服することはできないからである。これらの言説の根底には、『共産党宣言』（一八四八年）の冒頭に記されている「あらゆる社会の歴史は階級闘争の歴史である」[30]

という認識が据えられていた。マルクスの没年に生まれたヨゼフ・シュンペーターは次のように書いた。「おおざっぱにいえば、社会階級なるものがはじめて登場したのは、社会の歴史は階級闘争の歴史である、との『共産党宣言』のかの有名な叙述をもって最初とするであろう[31]」。この一句によって、左翼のなかでは「階級闘争」は、もっともランクの高い用語となった。

そして、『共産党宣言』では、「近代的国家権力は、単に全ブルジョア階級の共通の事務を司る委員会にすぎない」とか、「法律、道徳、宗教は、プロレタリアにとっては、すべてブルジョア的偏見であって、それらすべての背後にはブルジョア的利益がかくされている[32]」と断じていた。その帰結として「プロレタリア階級独裁」が結論された。私が繰り返して強調しているように、これらの認識が大きな錯誤だったのである。だが、この点を真正面から取り上げた研究はないようである。

第4節　なぜ、左翼はマルクスを批判できないのか

最後に、私が本稿で指摘した、マルクスへの批判がなぜ左翼では共通認識として広がることが出来ないのかについて考えてみたい。

まず、理論の蛸壷化を指摘することが出来る。経済学者は、政治には口出ししない。『資本論』研究者は国家論には触れない（前記の宇野や伊藤氏などは例外といえる）。逆に政治学者は『資本論』を読まない。何とも不便なことである。

次に、いわば「マルクス不敬罪」とでもいうべき傾向もある。「偉大なマルクスを批判するとは何事か」という反発である。この中には、自分が信じている人＝マルクスを批判してほしくないという感情も含まれている。

あるいは、属人主義と権威主義も災いしている。属人主義とは、何が論点・問題か、ではなく、誰が書いたかを判断基準にする思考法である。「あいつの言うことは絶対に認めない」という態度である。「坊主憎けりゃ袈裟まで憎い」という訳である。権威主義は説明するまでもない。高名な大学の先生の「御高説」ではないと、マスコミも取り上げないし、読書されることも少なく、読んでも理解はしない。

だが、大切なことを教えてくれる例もある。前節で取り上げた『経済理論と現代資本主義』では各章の初めに先人の短い箴言が付されている。巻頭の「I　経済学の課題」には、「反論し論破するために読むな。信じて丸呑みするためにも読むな。話題や論題を見つけるためにも読むな。しかし、塾考し熟慮するために読むがよい。『ベーコン随想集』」とある。名前くらいは知っているが、ベーコンを読んだことはない。だが、ずしりと重く受け止めるべき警句である。Ⅳ章には「すべてを疑うか、すべてを信ずるかは、二つとも都合のよい解決法である。どちらでも我々は反省しないですむからである。ポアンカレ『科学と仮説』」という辛辣な一句が付されている（逆にマルクスは「全てを疑え」(33)と書いた。伊藤さんに伺ったら、この二つの引用は置塩によるものだという）。

私たちは、このような先達の教えを心にきざみながら、前記の分厚い「常識の壁」を突破しなくてはならない。

一九九一年末のソ連邦の崩壊から三〇年近く経ち、この負の遺産からの教訓をも取り込んで、〈社会主義像〉を豊かに探究・構想するためには、マルクスの不朽の優位点を活かしながら、〈マルクスの致命的弱点〉にもメスを入れ、克服しなくてはならない。同時に、最後に上げた左翼の致命的欠陥を払拭する必要がある。

社会主義へ討論の文化を![34]

〈参照文献〉

『資本論辞典』青木書店、一九六六年。

『マルクス・カテゴリー事典』青木書店、一九九八年。


〈注〉
(1) 梅本克己『マルクス主義における思想と科学』三一書房、一九六四年、一三〇頁。
(2) 岡本太郎『今日をひらく——太陽との対話』講談社、一九六七年、三五頁。芸術に疎い私がこの本を刊行後すぐに読んだのは、岡本が当時の全学連の元活動家(私が所属した地区に配属された清水丈夫や北小路敏など)と対話した「残酷な青春」が収録されていたからである。引用した部分に傍線を引いていた。
(3) 宇野弘蔵『思想』一九五一年五月号。『社会科学の根本問題』青木書店、一九六六年、九一頁。
(4) 村岡到「梅本主体性論の今日的意義」『現代の理論』一九七六年三月号で言及。『社会主義へのオルタナティブ』一九九七年に収録。『連帯社会主義への政治理論』五月書房、二〇〇一年、七三頁でも言及した。
(5) 不破哲三『マルクスは生きている』平凡社、二〇〇九年、八頁。村岡到『不破哲三と日本共産党』二〇一五年、一六六頁。
(6) 淡野安太郎『初期のマルクス』勁草書房、一九五六年。『マルクス・エンゲルス選集』補巻4、大月書店、一九五五年。
(7) 村岡到『友愛社会をめざす』二〇一三年、一〇九頁。
(8) 広西元信『資本論の誤訳』青友社、一九六六年。
(9) アントン・メンガー『全労働収益権史論』弘文堂書店、一九二四年。一六頁、本文一一頁。五〇二頁。
(10)『マルクス・エンゲルス全集』第二一巻、大月書店、一九七一年、四九八頁。
(11) 私は、「二〇〇三年綱領改定案の検討」で「憲法にも明記してある『生存権』と書かないのはなぜか」と批判した（『不破哲三との対話』社会評論社、二〇〇三年、一五九頁）。
(12) プレオブラジェンスキー『新しい経済』現代思潮社、一九六七年、三五頁。梅本さんの蔵書を一九七六年に初読。村岡到「〈協議経済〉の構想」『協議型社会主義の摸索』社会評論社、一九九九年、九一頁。
(13) 救仁郷繁「訳者あとがき」(12)『新しい経済』四四六頁から。I・ドイッチャー『武力なき予言者トロツキー』新潮社、一九六四年、二二四頁。
(14) 尾高朝雄著『法の窮極に在るもの』有斐閣、一九四七年。
(15) グスタフ・ラートブル『社会主義の文化理論』みすず書房、一九五三年、一三二頁。

(16) 村岡到「レーニンとオーストリア社会主義」。上島武・村岡到編『レーニン　革命ロシアの光と影』社会評論社、二〇〇五年、に収録。
(17) 村岡到『連帯社会主義への政治理論』。
(18) 村岡到「マルクス（主義）の致命的欠陥」。『共産主義年誌』第四号、二〇〇三年、一七五頁。SARS禍によってこのシンポジウムは中止され、翌年、武漢大学に招待されて講義した。
(19) 村岡到『社会主義はなぜ大切か――マルクスを超える展望』社会評論社、二〇〇五年。
(20) 村岡到「マルクスの歴史的意義と根本的限界」。村岡到編『マルクスの業績と限界』二〇一八年。
(21) 村岡到「社会主義と宗教との共振」『「創共協定」とは何だったのか』社会評論社、二〇一七年。昨年には「宗教と社会主義との共振」とタイトルを改めて新稿を発表した（村岡到編『社会主義像の新探究』二〇一九年に収録）。
(22) 桜井善行『企業福祉と日本的システム』ロゴス、二〇一九年。
(23) マルクス『資本論』新日本出版社、一九八三年。
(24) マルクス『ゴータ綱領批判』岩波文庫、一九七五年、五三頁。
(25) 『ゴータ綱領批判』の望月清司の「訳者解説」二〇九頁。
(26) 村岡到「税制の基礎知識」：『親鸞・ウエーバー・社会主義』二〇一二年、に収録。
(27) 宇野前出注(3)九二頁、九三頁。
(28) 置塩信雄・伊藤誠『経済理論と現代資本主義』岩波書店、一九八七年、一九七頁、二〇一頁。
(29) 伊藤誠「二一世紀型社会主義のために」。三月七日、世界資本主義フォーラム主催の集会。
(30) マルクス『共産党宣言』岩波文庫、一九七一年、三八頁。

(31) ヨゼフ・シュンペーター『資本主義・社会主義・民主主義』上巻、東洋経済新報社、一九六二年、二二三頁。
(32) マルクス『共産党宣言』四一頁、五四頁。
(33) マルクスは、娘の質問に答えた「告白」の最後に、「あなたの標語――すべてをうたがうべし」と書いた(エンゲルス『空想から科学へ』大月書店、一九五三年、一五一頁)。国民文庫編集委員会の「解説」では一八六〇年代の初めに書かれたものとされ、この姿勢を絶賛して「偉大な科学的社会主義者」と評していた(同、一五七頁)。
(34) 私は、ソ連邦で一九八〇年代にゴルバチョフが「ペレストロイカ」の旗印として「社会主義へ討論の文化を!」を掲げた時に、ペレストロイカを全面的に賛美したわけではないが、直ちに取り入れた。九〇年代後半に刊行した雑誌『カオスとロゴス』刊行の趣旨に明記し、何度か拙著の宣伝文句としても利用した。だが、残念ながら、この標語を援用した文献を見たことはない。

カール・バルトを知らない左翼・マルクス主義

カール・バルト――左翼のなかでこの名前を知っている人はほとんどいないであろう。カール・マルクスなら左翼ではなくても知られている。少し知識があれば、もう一人のカールとしてカール・ポラニーなら知っているだろう。

カール・バルトとは誰か？

「ウィキペディア」では次のように説明されている。

「カール・バルト（一八八六年五月一〇日～一九六八年一二月一〇日）は、二〇世紀のキリスト教神学に大きな影響を与えたスイスの神学者。その思想は弁証法神学や危機神学、あるいは新正統主義と呼ばれる（バルト自身は自らの神学を「神の言葉の神学」と呼んでいる）。一九三四年、ナチス・ドイツの政策に従うドイツ福音主義教会に対して結成された告白教会の理論的指導者となり、バルメン宣言を起草した(1)」。

「キリスト教神学者」と聞いて、「それなら知らなくて当然だ」、という反応が起きても不思議ではないが、なぜ彼を取り上げるのか？

後述のフリードリヒ＝ヴェルヘルム・マルクヴァルトが明言しているように、「カール・バルトは何よりも実践的に社会主義者であった」[2]からである（引用は後述の武田論文から）。

私の知見などはきわめて狭小で、知らないことばかりといってもよいが、私はカール・バルトをつい先日まで知らなかった。その名前を知ったのは、キリスト教の雑誌『福音と世界』二〇一八年五月号の武田武長氏の「神学と社会主義――カール・バルトの場合」を一読したからである。もちろん、『福音と世界』誌を見るのは初めてである。その誌名すら知らなかった。どうして、それを入手したかというと、日本共産党の不破哲三氏の論文が掲載されていると知り、それを読むためである。『福音と世界』の特集は「マルクス主義とキリスト教」で、そこに武田論文が掲載されていた。私は一読して強く衝撃が走った。余りにも重大な事実を教えられたからである。

全一七巻もの著作集まで刊行されているバルトの神学を学ぼうというわけではない。キリスト教への「改宗」を勧めたいわけでもない。私は、バルトが「実践的な社会主義者」として生き抜いた人物だったことが左翼やマルクス主義の世界ではまったく知られることもなく、無視されてきたことを重大な欠落だと強調したいのである。

後述の宮田光雄氏の『カール・バルト――神の愉快なパルチザン』の帯には「希望とユーモアを武器に〈全体主義〉と闘った20世紀最大のプロテスタント神学者」と記されている。「神の愉快なパルチザン」[3]は自称である。

先の「ウィキペディア」では長文の説明が書かれているが、そこには「社会主義」の四文字は禁句なのか出てこない。説明を執筆したのは恐らくキリスト教徒かキリスト教を良く理解している人なのであろう。だから「社会主義」に近づくことを避けたのであろう。冒頭にカール・ポラニーを上げたが、この高名な経済人類学者も普通には「社会主義者」としては言及されない。彼の娘が「父は全生涯をつうじて社会主義者として生きた」(4)と語っているにもかかわらずである。また、ノーベル賞のアルバート・アインシュタインも「社会主義」を説いているのに、そのことはほとんど知られていない。アインシュタインは一九四九年にアメリカの左翼月刊誌『マンスリー・レビュー』の創刊号に「なぜ社会主義か」とタイトルする論文を発表していた。(5)

このように、「社会主義」は世間的には忌避されている。そして、それと対極をなして、マルクス主義や左翼の世界では宗教と宗教者は嫌われ、排除されてきた。だから、カール・バルトは知られることもなく、視野の外とされてきたのである。私は、この二つの対極的な、しかしその根源は一つである「排他主義」「セクト主義」の弊害を痛感し、その徹底な克服が必要だと強く主張する。

カール・バルトに戻ろう。武田論文によれば、牧師であったバルトは、一九一五年、二九歳の時にスイス社会民主党に入党した。「労働組合の問題」に強い関心があったという。一九三一年にはドイツ社会民主党に入党した。ヒトラーが政権に着く二年前である。「一九三三年一月にヒトラーが総統になってから二カ月後、ドイツ社会民主党は、党籍を有する官吏が党への所属のゆえに官職を犠牲にすることを望まず、脱党していわゆる〈内なる社会主義〉に逃亡することを勧めた。しかし、バルトはその勧めを決然と拒絶し(6)」た。バルトは「わたしの社会主義はただ公然たるものでのみあります」と友人への手紙に記していた。

武田氏が引用しているが、前記の宮田氏の『カール・バルト』によれば、「バルト自身は、ヴァイマル憲法体制を真剣にとらえ、ドイツの社会民主主義を建設しようとする少数派と行を共にすることを恐れていなかった(6)」。

バルトなどは、一九三四年に「バルメン宣言」を発した。「ウィキペディア」では、「イエス・キリストのみをこの世の支配者と見なす六条からなるドイツ教会闘争の神学的根拠になった宣言である。正式名は『ドイツ福音主義教会の現状に関する神学的宣言』」と説明されている。

なぜ、バルトに着目しなくてはいけないのか。バルトに着目すると何が分かるのか？　ヒトラーが台頭する時代、その一六年前にはロシア革命が勝利していた。そういういわば嵐の時代に、キリスト教を貫きながら同時に「実践的に社会主義者」たろうとして真剣に生き抜いた人間が存在した。そのことを知ることは大切である。私は近年ようやく〈宗教と社会主義との共振〉を主張するようになったが(7)、はるか以前に、「共振」というよりは、「調和」させた生き方を苦難のなかで実践していた人物が存在していた。

その「調和」が正しいのか、内実を吟味することは、私にとっては残された課題であり、宮田氏の著作を熟読しなくてはならない。だが、そのためにもまずそのような生き方に共感することが大切である。そうすれば彼に連なる多くのキリスト者とも連帯できるし、それらの人たちも「社会主義」への関心を抱くようになるであろう。間違っても、宗教に関心を抱き、そこに生きる希望を見いだす人たちを「敵」であるかに見下してはいけない。

現在、世界の宗教人口は、「三大宗教」とされている、キリスト教、イスラム教、仏教が二四億人、一八億人、五億人とされ、ヒンドゥー教が一一億人とされている（ローマ・カトリック教会が一二億七〇〇〇万人）。世界の総人口は約七七億人。この膨大な人びとと敵対するのは大きな誤りである。数量の問題ではなく、何教かは別として宗教が求められている現実を直視しなくてはならないのである。

ここで一人の反面教師を上げることが必要である。「真にタルムード学者的な英知をしぼらなければならなかった」――この他者をからかった皮肉な一句は、「タルムード」をバカにしたものである。「タルムード」と聞いても多くの日本人は「それは何？」と怪訝な顔をするだろう。だから、「タルムード」には訳注として、「『へりくつをこねる』の意にも用いられる[8]」と説明されている。別の訳本では「真に文字拘泥的な明察を盡〔尽〕くさねばならなかった[9]」とされ、「文字拘泥」に「タルムーデイッシュ」とルビが付されている。

「タルムード」はヘブライ語で「研究」を意味する。ユダヤ教の『聖典』とされ、「タルムード」を生活の信条として生きているユダヤ教徒は、世界各地に一三四〇万人を超える（マルクスの時代にはどうだったかは知らない）。

だから、「真にタルムード学者的な英知」などとからかわれたのでは、普通の敬虔なユダヤ教徒は、この一句に反発して、そんな風に書く著作を敬遠するに違いない。一体、誰がどこに書いた一句なのか。マルクスが主著『資本論』第一巻の「第八章　労働日」で「イギリスの一判事」を批判して書いたのである。

マルクスといえば、「宗教は阿片である」を思い出す活動家も少なくないであろうが、このようにマルクスは宗教を嫌い軽蔑していた。この問題については、別稿で取り上げたが、カール・バルトが無視抹殺されたのは、このような偏屈な反宗教感情をその土壌としていたのである。私たちは、この反宗教感情を徹底して克服しなければならない。カール・バルトを教えていただいた武田武長氏に感謝する。

〈注〉

(1) フリー百科事典「ウィキペディア」
(2) 武田武長「神学と社会主義――カール・バルトの場合」。『福音と世界』新教出版社、二〇一八年五月号、一六頁。
(3) 宮田光雄『カール・バルト――神の愉快なパルチザン』岩波書店、二〇一五年、vii頁。
(4) カール・ポラニー『人間の経済Ⅰ』岩波書店、一九八〇年、一九頁。
(5) 日本物理学会の中のサークル誌『科学・社会・人間』九四号：二〇〇五年九月、に日本語訳が掲載。
(6) 武田論文、一八頁。
(7) 村岡到「宗教と社会主義との共振」：村岡到編『社会主義像の新探究』二〇一九年。
(8) マルクス『資本論』新日本出版社版、二巻、一九八三年、四八〇頁。
(9) マルクス『資本論』青木書店版、1巻、一九五四年、四七七頁。

〈友愛〉提起に呼応する声

第1節　二人からの肯定的反応

私は、二〇一三年に「友愛の定位が活路」を発表した（『プランB』第四一号：二〇一三年三月。『貧者の一答』二〇一四年、に収録）。その中身は後述するが、この私の提起に対して好意的に呼応する反応が現れたので、そのことから先に紹介したい。

一つは、元首相でもある鳩山友紀夫さんである。鳩山さんは祖父から「友愛」の大切さを教えられ、党首を務めた民主党時代に「友愛」を党の基軸に据えた。私は、そこからも学んだ。二〇一三年に鳩山さんに拙著『友愛社会をめざす』などを送付したら、丁寧なお手紙が届いた。そこには「村岡様が述べられておられる、理念が大切で、左翼が友愛の理念で再興されるべきと喝破されておられることに、敬意を表します」と記されていた（この手紙は、許可を得て『プランB』第四三号に掲載し、さらに『貧者の一答』に収録した。本書にも収録）。鳩山さんには一〇一六年に季刊『フラタニティ』を創刊するさいにご協力いただいた。

さらに、その第一四号（二〇一九年五月）からコラム「『フラタニティ』私も読んでいます」を開始した時にそのトップに短文「友愛の政権構想を打ち上げよ」を寄せていただいた。その全文を付録として収録する。そこには、「友愛の提唱者クーデンホフ・カレルギーが一九六七年に来日の折、池田大作氏と肝胆相照らす仲となったと伺っており、また我が祖父母も池田氏と懇意であったと聞いている」という貴重なエピソードも記されている。

もう一人は、碓井敏正さんである。碓井さんは京都橘大学名誉教授で専攻は哲学。書作も多い。共産党系の知識人である。碓井さんは前記のコラムに「〈友愛〉を「自由・平等」の基礎に」とタイトルする短文を寄せていただいた（第一六号：二〇一九年一一月。付録参照）。

碓井さんは、二〇〇八年には私の編著『閉塞を破る希望』（二〇〇八年）に寄稿したことがある。「そこでも愛を社会主義の原理とする、村岡氏の議論に批判的見解を述べた」ことを記した上で、今度の短文では「〈友愛〉があって、始めて自由や平等に本来の意味が与えられるのである」という地点に到達したと明らかにした。共産党系世界への浸透に期待したい。

「暧簾に腕押し」というあまり使われない言葉が、ピッタリとあてはまるのが、左翼的世界の言論空間である。そうであるがゆえに、この二つの例は珍しくもあり、かつ貴重でもあるから紹介するに値いするであろう（鳩山さんを左翼に「分類」するのは適切ではないが）。

後回しにしておいた〈友愛〉提起の意味について再論する。私は、冒頭で触れた論文「友愛の定位が活路」で次のように明らかにした（引用符は外す）。

第2節　なぜ〈友愛〉を重視するのか

「自由・平等・友愛」は一八世紀末のフランス革命の標語となった。現在もフランス共和国の標語とされている。三色旗の赤は〈友愛〉を示している。

この三つの言葉はワンセットで流布されることになったのだが、日本では、「自由」はもっとも頻繁に使われている（諸外国の例を調べたことはないが）。憲法にも「自由」は頻回に出てくる（「平等」は二回、「友愛」はゼロ）。

中西進氏によれば、「当時の人びとは、「〈平等〉と言った以上、〈友愛〉と言わなければならない、そう考えたようにみえる。……この社会の頂点から基底部までを貫くカトリック教会の教え」（『〈自由・平等〉と〈友愛〉』ミネルヴァ書房、一九九四年、一二頁）が浸透していたからである。

だが、マルクスは『資本論』（初版は一八六七年）で「商品交換の部面で支配しているのは、自由、平等、所有、ベンサム〔人名〕だけである」として、「友愛」を外してしまった。日本共産党の綱領にも「友愛」は出てこない。

「友愛」は普通には「友を愛す」という意味に理解されている。「友を愛す」を重要な理念として掲げるかどうかは、明確な価値判断に踏まえて初めて可能なことであるが、「友を愛す」ことは説明するまでもなく当然である。人間は、誰でも社会のなかに生み落とされ、他人と協力することなしに生きていけないからであり、親子や夫婦——これらの関係と定義は複雑だが——以外で身近な存在は「友人」だからである。あこがれを抱いたり、弱く悲しみのなかにある人に寄り添い味方する感情を意味する〈共感〉——アダム・スミスの『道徳感情論』での「同感」と同義——を基礎とする。

『世界大百科事典』の説明をさらに深化させて、「友を愛す」だけではなく、〈他人〉を「友として愛す」と明確にしたほうがよいのではないか。これは極めて困難な徳目である。〈他人〉のなかには悪意あるもの、敵対する者も含むからである。「汝の敵を愛せ」はきわめて難しいが、フランス革命の衝撃のなかで、ドイツの哲学者フィヒテは、匿名で一七九三年に、国王など特権階級の廃止を主張すると同時に、革命勝利後に打倒した特権階級に労働する能力を身に付けさせるために一定期間の生活保障を施すことを提起した！（『フランス革命論』法政大学出版局、一九八七年、二二八〜二二九頁）。国王などをギロチンに掛けるのではなく生活保障する。革命は復讐ではなく、新しい制度の創造でなければならないことを、フィヒテはこれほどまでにはっきりと明らかにした。私は二〇〇〇年に、このフィヒテを知って、直ちに「オーストリア社会主義理論の意義」を執筆して、フィヒテを引いて「革命の漸進性」を明確にし、翌年に「暴力革命」論を根底的に超克した〈則法革命〉を提起した（「〈則法革命〉こそ活路」。『連帯社会主義への政治理論』所収）。私は、そこにレーニンやトロツキーに代表されるロシア革命とは異なる「オーストリア社会主義理論」の卓越した特徴を見出した。

この「友愛の定位が活路」論文ではさらに「第4節　〈友愛〉の軽視・反発がもたらした弊害」、「第

5節〈友愛〉志向勢力の弱点」を明らかにした上で、「第6節〈友愛〉の再定位の意義」として、次のことを提起した。

〈友愛〉の再定位の核心は〈労資の対立〉を明確に認識することにある。この本質論での認識とセットにして〈友愛〉を再定位しなくてはならない。ただ注意すべきことが二つある。

一つは、〈労資の対立〉と言ってもその実態はさまざまに複雑に変容しているから、実態の解明は簡単ではないことに注意する必要がある。もう一つは、〈労資の対立〉を認識したからといって、「資本制生産の止揚」、別言すれば〈社会主義〉の実現まで認識を深化させることは必ずしも必要ではない。

最後に、私は、〈友愛〉の再定位によって、社会主義像はいっそう深さを増し、幅を拡げるに違いないと確信している。従来は見向きもしなかった層や世界とも友好的に交流することが、当面の政治的必要のレベルを超えて原理的に可能となるからである。

私は、この論文の最後に、「残された課題」として次のことを確認した。〈自由・平等・友愛〉がフランス革命の標語とされた歴史的意義を再考し、そこを突破する道を探るのが、二一世紀に生きる私たちの課題である。「各人の自由な発展が万人の自由な発展の条件である」と、マルクスは「共産主義社会」を展望したが、そこに大きな錯誤があったのではないか。

「友愛の定位が活路」論文を発表した後、二〇一六年に私は、季刊『フラタニティ』を創刊し、その表紙に「友愛を基軸に活憲を！」と掲げた（翌年の第五号からは「友愛を心に活憲を！」と直す）。冒頭に記したように、その第一四号からスタートした連載コラムに鳩山友紀夫さんと碓井敏正さんから、肯定的な応答を得ることが出来たのである。

さらなる応答の広がりを切望して、本稿を閉じる。

〔付　録〕

友愛の政権構想を打ち上げよ

鳩山友紀夫

四年前に村岡到さんから、友愛思想に共鳴したので、『フラタニティ』という雑誌を発刊したいとの思いを伺ったとき、正直言って戸惑いを隠せなかった。中曽根元総理から「甘っちょろくて、夏が来ればソフトクリームのように溶けてしまう」と揶揄されたように、友愛のような甘い香りのする理念とかちんかちんの新左翼思想とは相容れないように感じていたからだ。しかし、その懸念はすぐに杞憂であることが判明した。考えてみれば、友愛に共鳴して下さることは、自己の尊厳だけでなく、他者に対する尊厳も尊重することなので、フラタニティは排他的ではあり得ない。

前号〔第一三号：二〇一九年二月〕では私の小学校時代からの親友で、東アジア共同体研究所の理事でもある橋本大二郎氏のインタビュー記事が掲載された。彼は、私が政治家になれるのなら、自分もなれると高知県知事になった男だ。幼馴染だし彼のことは大方知っていると思っていたが、彼が学生時代にトロツキーやレーニンに惹かれていたなど全く知らなかった。今後も意外と思われる人物に体当たりしてほしい。

雑誌の読者層はまず安倍政権の政策や政権運営に関して批判的な方であろうと思われる。にも拘わらず、前号で創価学会を冷静に分析したことは評価に値する。公明党の草創期に掲げた「人間性社会主義」が自民党との連立政権の中で虚しく響くが、本来、公明党は友愛思想を最も重視していたはずである。友愛の提唱者クーデンホフ・カレルギーが一九六七年に来日の折、池田大作氏と肝胆相照らす仲となったと伺っており、また我が祖父母も池田氏と懇意であったと聞いている。

私は現政権に最も欠けているのが、外交的にも内政的にも自立と共生、相互尊重・相互理解・相互扶助の友愛の理念であり、徳のある政治であると信じる。この政治哲学を柱に政権構想を創り上げてほしい。経済は成長経済至上主義から脱し、定常経済の中でポスト資本主義を創り出すこと、外交は米国依存から脱却して東アジアに友愛共和の共同体を目指すことだ。それは右でも左でもない、日本が歩むべきまっすぐな道なのだ。

（はとやま・ゆきお／元総理大臣）

〈友愛〉を「自由・平等」の基礎に

碓井敏正

『フラタニティ』という本誌の名は、言うまでもなくフランス革命の標語であり、近代社会の原理でもある「自由・平等・友愛」の「友愛」から来ている。しかし、私は社会哲学、特に正義や権利を専門としてきたこともあり、「友愛」という概念に強く惹かれた経験が無い。正義論では自由や平等の本質や現状と、また両者の関係について規範的な立場から議論するのが通常だからである。その理由はやはり、愛という概念の抽象性にあると思われる。A・スミスは愛と正義を比べ、次のように述べている。「相互の愛情が無くても、社会は解体することはないが、正義は社会の主柱であり、それなくしては一瞬にして崩壊するであろう」(『道徳感情論』第二部第二編)。スミスにおいてそうであるから、マルクス主義やその影響下にある社会科学の観点からすれば、愛など論じるに値しない概念ということになる。それどころか、階級対立を重視する立場からすれば、人類愛や普遍的愛などは、社会矛盾を覆い隠すイデオロギー以外の何物でもない、ということになるのであろう。

実は私も最近までそのように考えてきた。以前、村岡到氏の編著『閉塞を破る希望』(ロゴス、二〇〇八年)に寄稿したことがあるが、そこでも愛を社会主義の原理とする、氏の議論に批判的見解を述べた。しかし、最近の右派ポピュリズムにあるように、対立と分断また差別と憎悪を煽る政治の台頭を見る時、何よりも求められるのは、民族や国境を超えた人間としての連帯感ではないのか。

考えてみれば、〈友愛〉の欠如した「自由」は「孤立の自由」へ、また「平等」は形式的な「機会の平等」へと偏向し、結局のところ自己責任論を合理化することになりかねない。自由を公共への関心へ、また平等を恵まれない他者への関心へと向かわせるのは、〈友愛〉以外にはない。〈友愛〉があって、始めて自由や平等に本来の意味が与えられるのである。そう考えると、雑誌『フラタニティ』の役割は重要である。本誌の発展を願ってやまない。

（うすい・としまさ／京都橘大学名誉教授）

「友愛」による左翼再生を

鳩山友紀夫

酷暑が続きましたが、雷とゲリラ豪雨のあとは、東京にも秋の気配が漂ってきたのではないでしょうか。

過日は、村岡様ご自身の著書を何冊もお送りいただき、ありがとうございました。それぞれに大変に重みのある内容とお見受けいたしますので、未だに読みこなせてはおりませんが、私にとっても勉強させていただく機会を与えてくださり、心から感謝いたします。

村岡様が述べられておられる、理念が大切で、左翼が友愛の理念で再興されるべきと喝破されておられることに、敬意を表します。資本主義がマネーゲームで限界に達しているときに、友愛で左翼が再興されるのであるならば、素晴らしいことであると存じます。

残念ながら、おっしゃる通り、民主党は友愛を捨てました。仲間すら愛せないで排除する党に国民を愛せるはずはなく、そのことを知った国民が民主党に鉄槌を与えたのでしょう。今こそ、友愛の旗を高く掲げなければならない時に、民主党は友愛を捨てましたので、私も自分が創設した責任者ではありましたが、民主党を見放しました。ただ一つ訂正させていただきたいのは、私は鳩山一郎の孫であります〔『プランB』第四一号の村岡論文で一郎氏を父と誤記〕。

友愛を「他人を友として愛す」と深化させよとの言葉〔『貧者の一答』七四頁。本書、六三頁〕も感心いたしました。また、賀川豊彦先生のご功績などには触れさせていただいたこともありましたが、友愛を労働者と資本家との対立の構図から論じたことはありませんでしたので、今後学ばせていただきたいと存じます。

まずは『友愛社会をめざす』などのご著書をお送り賜りましたことに対して、あらためて御礼申し上げます。ますますのご活躍をお祈りいたします。

敬具

二〇一三年九月六日

村岡　到　様

私の歩み――一九六〇年安保闘争から六〇年

一九六〇年六月、新潟県立長岡高校の二年生だった私は、長岡城の跡地の公園で開かれた安保条約改定反対集会に参加した。オーバーに言えば初めての政治行動への関りであった。私は、八人兄姉の末っ子で、父は国鉄（現ＪＲ）の用地係り。横浜の戸塚で生まれたが、小学校五年までは新潟県の千手村、以後は上京するまで長岡市。家は貧しく借家住まいだったが、末っ子で可愛がられて育った。それから六〇年、今年は喜寿でもある。それでこの機会にこの六〇年を振り返ることにする。

第1節　季刊『フラタニティ』の刊行

二〇一六年二月に季刊『フラタニティ』を創刊した。偶然だが、前年に刊行された日外アソシエート『現代日本執筆者大事典』（第5期）に「村岡到」が掲載された。『フラタニティ』は昨年一一月に第一六号を出した。表紙の題字の上に「友愛を心に活憲を！」と掲げている。発行部数はごく小さいが、活字離れが拡大する時流に抗して、近年の新しい読者を加えわずかながら増えている。

『フラタニティ』を発行している、極小出版社の「ロゴス」は、二〇〇五年に東京・本郷でスタートした。以来、何とか維持している。後で述べるように、その前にも「稲妻社」（発売元：社会評論社）なるものから何冊か出していた。ロゴスの最初の本は、二〇〇六年の尾高朝雄『自由論』（原著：一九五二年）の復刻である。一九九九年末に尾高さんの『法の窮極に在るもの』（有斐閣）を水道橋の古本屋で入手し、一読、衝撃を受け、出版社から尾高さんの息女である久留都茂子さんの住所を教えていただき、お手紙を差し出した。丁寧なお返事が届き、その後、駒込の喫茶店でお会いすることもあり、尾高著『国家構造論』などを戴いた。それで許可を得て、『自由論』を復刻した。

私は、形の上ではロゴスの「社長」ということになる。そう呼ぶのは印刷を頼んでいる会社の社員だけであるが。雑誌の編集、印刷用版下作りから、校正、発送作業、金策まで一人でこなしている。会計と表紙のデザインなどは妻の環が手伝っている。その合間に、読書して思索し原稿を書く。ロゴスからは年に一、二冊は友人の著作も出すが、私自身の編著・単著が多い。

この出版の仕事と合わせて、小さな研究会や市民活動もいくつか進めてきた。昨年には「政権構想探究グループ」を創った（本書、一二二頁、参照）。また、一九八八年にスタートした社会主義理論学会（会員約数十人）の役員を三〇年以上つづけている。

『フラタニティ』がどんな雑誌なのか少し紹介する。一応、編集委員が八人、名を揃えている。第一一号からは宇野経済学のトップ・大内秀明さんも加わった。表2（表紙の裏）に「季刊『フラタニティ』刊行アピール」が掲載されている。創刊号に掲示したものを補正してあり、第一三号からは「革新連合政権の構想（案）」も付記した。主要なキーワードだけ挙げよう。

地球環境の劣化、憲法と日米安保体制との二つの法体系、人口減少と高齢化、農村の過疎化、非正規労働者が就労人口の四〇％、貧困家庭、無縁社会が犯罪の誘因、ＡＩなど電子機器の発達、労働環境の激変、人間のコミュニケーションのあり方に変異、脱原発、経済成長至上主義を見直す〔中略〕〈政権構想〉の提示、安保法制を廃止し、〈沖縄差別〉を構造化する〈対米従属〉から脱却、歪曲民主政。〔中略〕の部分は単語だけだと分かりにくいから、引用する。

「利潤追求を目的・動力として『賃労働と資本との対立』を経済の基軸とする資本制社会の悪弊・災厄を根本的に変革・突破する道は〈友愛〉を心にする努力によってこそ切り開かれる、と私たちは考えます。〈友愛〉の核心は、現在の自分ではなくて、歴史と社会〈他人〉を深く理解し、協力しあう志向性にあります。私たちは、現在の自分には大きな欠落があるという自覚から出発します」。

国会議員や著名人との繋がりをことさらに特別扱いする必要はないが、半世紀以上も活動していてそういう接点が無いのも寂しいので、上げると浅野純次、糸数慶子、伊波洋一、丹羽宇一郎、二見伸明、孫崎享、の各氏には『フラタニティ』に登場していただいている。その前に刊行していた『カオスとロゴス』には安東仁兵衛、高沢寅男のお二人も執筆した。

第２節　新しい問題提起と主張

本節では私が何を特に新しく問題提起し主張してきたかについて簡単に明らかにする。

第一に提起したのは、〈則法革命〉である。従来は、マルクスによる「近代的国家権力は、全ブルジョア階級の共通の事務を司る委員会にすぎない」(『共産党宣言』)を継承し、さらに「国家は階級対立の非和解性の産物である」(『国家と革命』)とするレーニンによって、「暴力革命」が主張され、新左翼諸党派はこの教条を信奉した。この主張に反対する人たちは「平和革命」を対置したり、「構造改革」を唱えた。共産党は「敵の出方」論なる折衷的な主張だった。

私は、二〇〇一年に〈則法革命〉を提起した。「階級支配」ではなく、「法の下での平等」を基軸とする民主政の下では、暴力によってではなく、読んで字のごとく、法と法律に則った革命を実現することが出来るし、目指すべきなのである。「平和革命」よりもヨリ本質的な表現である。〈則法革命〉の担い手は〈市民〉である。

第二は、目指すべき社会主義について〈協議経済〉を問題提起した。社会主義では、価値法則を廃棄して、「協議した計画」によって生産を実現するようになる。「協議した計画」とは、マルクスが『資本論』のフランス語版で、それまでのドイツ語版での「自覚的」としていたところを書き換えたものである。私は、一九九七年に「『計画経済』の設定は誤り」を発表して、この言葉にヒントを得て、「協議経済」を提起し、翌九八年に「〈協議経済〉の構想」で素描した。そこでは、貨幣に代わる〈生活カード〉によって生産物の引換が実現する。さらにマルクスは言及していないが、そこでは労働は〈愛ある労働〉となり、〈誇競〉(誇りをめぐる競争)が労働の動機となる。

社会主義の核心は経済制度の根本的転換であるが、文化の領域では〈多様性〉の開花であり、その点では愛や宗教が大きな位置を占める。マルクスやマルクス主義では従来「多様性」は忌避されてきたが、私は、二〇〇二年に「多様性と自由・平等」（『生存権・平等・エコロジー』に収録）で、「マルクス主義は〈多様性〉を軽視」と節（第2節）を立てて明らかにした。また、〇四年に「愛と社会主義――マルクスとフロムを超えて」、翌年に「宗教と社会主義――ロシア革命での経験」を書き、二〇一七年末に「社会主義と宗教との共振」を発表し、昨年からは〈宗社共振〉（宗教と社会主義との共振）として強調している。

第三に、〈社会主義への経済的政治的文化的接近〉を問題提起した。従来は、「二段階革命か社会主義革命か」が二者択一的に、相互に相容れないものとして対立的に論じられ、この対立を嫌う人は「構造改革」を唱えていた。「構造改革」派も衰退して、この四文字は二〇〇一年からは小泉純一郎首相の旗印になってしまった。日本共産党は今でもこの点でふらついている。私は一九九七年「『まず政治権力を獲得』論の陥穽」で〈社会主義への経済的政治的接近〉と提起したが、すぐに〈文化的〉を追加した。

問題はその内実を埋めることにこそある。私は、同年に「〈利潤分配制〉を獲得目標に」を発表した（『社会主義へのオルタナティブ』一九九七年、に収録）。広西元信さんから学んだものである。九九年――「ベーシックインカム」なるカタカナ言葉が流行り出す以前に〈生存権所得〉を提起した。二〇〇九年に著した『生存権所得』は、『週刊東洋経済』の書評欄で「『憲法に立脚した』生存権を保障するための所得分配という提起は傾聴に値しよう」と紹介された〈執筆は浅野純次氏〉。二〇一一年に編著『ベーシックインカムの可能性』を刊行した時に、その直前の3・11東日本原発震災に直面して、巻頭に「緊急追加」として「〈被災生存権所得〉の新設を」と提起した。

この視点を明確にすることによって、従来からの「革命か改良か」という不毛な二者択一思考から脱却することが出来る。ストレートに「革命」と打ち出さないさまざまな試みに対して「改良主義」と悪罵を投げつけて反発するのではなく、その努力のなかに革命への志向性を見いだし、伸ばすことこそが大切な課題なのである。

第四に、現状に不満を感じ、現状打破をめざす人たちは異なる党派や潮流の枠を超えて協力しなくてはいけないと主張してきた。この姿勢は、一九七八年に第四インター在籍の時に「日本共産党との対話」や「内在的批判」を提起していらい一貫して貫いている。最近は、共産党の志位和夫委員長も他者への「リスペクト」を口にするようになったが、さらに徹底しなくてはならない。

組織論としては、一九八六年に「複数前衛党と多数尊重制」で明らかにしたように、共産党が一時は強調していた「一国一前衛党」論ではなく〈複数前衛党〉が望ましく、「民主集中制」ではなく〈多数尊重制〉に改変するほうが良い。

これらの問題提起のベースとして、私は、二〇〇〇年末に『唯物史観』の根本的検討」で〈複合史観〉を提起した。また、現在の日本の政治制度について「ブルジョア民主主義」として断罪するだけのマルクス主義の政治論の不毛性に気づき、そこから脱却して、現代の〈民主政〉の歴史的意義を明確に捉え返す理論的努力が必要であった。

前述のほかにも、「平和の創造」「清廉な官僚制」「農役」「雇用税」「党主政」などと創語してきた。それらは、「創語録――左翼の通説を突破する」として説明した（『友愛社会をめざす』）。「平和の創造」については、一九八二年に、前年に共産党が提起した『真の平和綱領のために』を批判して、共産党の「平和擁護」と新左翼の「反戦」を超えるものとして提起した。創語かと思っていたが、一九六八年にノーベル賞の湯川秀樹らが岩波新書のタイトルに使っていた。さらに昨年に創価学会を勉強していたら、創価学会が一九七三年に活動方針に「仏教運動で平和創造の社会を！」と掲げていたことを知った。まさに、大正時代の優れた法学者・穂積陳重が教えているように、「純然たる独立創見は滅多にない」（『法窓夜話』有斐閣、一九一六年、三八五頁）。

なお私が未踏の領域や課題は少なくないが、以上の新しい問題提起は、従来の社会主義理論の水準を超えようとする努力である。批判的検討を強く呼びかけたい。

第3節　六〇年間の歩み

一九六〇年六月　新潟県長岡市で安保闘争のデモに初めて参加　高校二年生
一九六三年二月　上京　国家公務員として東京大学医学部付属病院分院に勤務　マルクス主義青年労働者同盟に加盟

一九六五年　革命的共産主義者同盟全国委員会（いわゆる中核派）に加盟
　同年一二月八日、日韓条約反対の国会前のデモで逮捕。不起訴、完全黙秘
一九六九年一〇月二一日　国際反戦デーで逮捕、起訴。完全黙秘。梅本克己さんと文通
一九七一年一月二九日に東京拘置所から保釈。七五年に有罪判決、付属病院分院を懲戒免職
一九七五年　第四インターに加盟
一九七八年「世界革命」編集部員に「共産党との対話」を提起
一九八〇年　政治グループ稲妻を創る　九六年に解散
　機関紙「稲妻」は二〇〇七年一月に発行した第三六四号で終刊
一九八八年　社会主義理論学会の創設に参加
一九九一年末　ソ連邦崩壊
二〇〇五年　ロゴスを文京区本郷でスタート
六〇年安保闘争の評価について一言すると、共産党は「勝利」とし、新左翼は「敗北」と評価し、そのことも根拠として共産党を批判し、自分たちの存在理由の一つとした。九年後に新左翼は「七〇年安保闘争」を展開したが、佐藤栄作首相の訪米を許した。しかし、「勝利」と総括した。この一〇・二一闘争で起訴され、小菅刑務所に留置された私は、東京拘置所に留置されていた、革共同のトップ本多延喜に「なぜ六〇年は『敗北』なのに、七〇年は『勝利』なのか。同じく敗北とすべきだ」と手紙を出した。彼からは、「私は『勝利』派です。問題はどのような階級関係をつくり

村岡 到 主要著作

1980 『スターリン主義批判の現段階』稲妻社
1982 『日本共産党との対話』稲妻社
1984 『岐路に立つ日本共産党』稲妻社
1986 『変化の中の日本共産党』稲妻社
1987 『トロツキーとコミンテルン』（栗木安延と）稲妻社
1988 『前衛党組織論の模索』（橋本剛と）稲妻社
1989 『社会主義への国際的経験』稲妻社
1990 『社会主義とは何か』稲妻社
1990 『甦るトロツキー』稲妻社
1993 『社会主義像の展相』（大藪龍介など共編）世界書院
1996 『原典・社会主義経済計算論争』（編集・解説）ロゴス
1996 『ソ連崩壊と新しい社会主義像』（石井伸男共編）時潮社
1997 『社会主義へのオルタナティブ』ロゴス
1999 『協議型社会主義の模索——新左翼体験とソ連邦の崩壊を経て』社会評論社
2001 『連帯社会主義への政治理論——マルクス主義を超えて』五月書房
2003 『生存権・平等・エコロジー——連帯社会主義へのプロローグ』白順社
2003 『不破哲三との対話——日本共産党はどこへ行く？』社会評論社
2005 『〈帝国〉をどうする——世界社会フォーラム５』（編）白順社
2005 『レーニン　革命ロシアの光と影』（上島武共編）社会評論社
2005 『社会主義はなぜ大切か——マルクスを超える展望』社会評論社
2007 『悔いなき生き方は可能だ——社会主義がめざすもの』ロゴス
2008 『閉塞を破る希望——村岡社会主義論への批評』（編）ロゴス
2008 『閉塞時代に挑む——生存権・憲法・社会主義』ロゴス
2009 『生存権所得——憲法一六八条を活かす』社会評論社
2010 『ベーシックインカムで大転換』ロゴス
2011 『ベーシックインカムの可能性』（編）ロゴス
2011 『脱原発の思想と活動——原発文化を打破する』（編）ロゴス
2012 『歴史の教訓と社会主義』（編）ロゴス
2012 『親鸞・ウェーバー・社会主義』ロゴス
2013 『ユートピアの模索——ヤマギシ会の到達点』ロゴス
2013 『友愛社会をめざす——〈活憲左派〉の展望』ロゴス
2013 『農業が創る未来——ヤマギシズム農法から』ロゴス

2014 『貧者の一答——どうしたら政治は良くなるか』ロゴス
2015 『日本共産党をどう理解したら良いか』ロゴス
2015 『文化象徴天皇への変革』ロゴス
2015 『不破哲三と日本共産党』ロゴス
2016 『壊憲か活憲か』（編）ロゴス
2016 『ソ連邦の崩壊と社会主義』ロゴス
2017 『ロシア革命の再審と社会主義』（編）ロゴス
2017 『「創共協定」とは何だったのか』社会評論社
2018 『マルクスの業績と限界』（編）ロゴス
2018 『共産党、政党助成金を活かし飛躍を』ロゴス
2019 『池田大作の「人間性社会主義」』ロゴス
2019 『社会主義像の新探究』（編）ロゴス
2020 『政権構想の探究①』（編）ロゴス

村岡到が深く関与した雑誌

季刊『現代と展望』 政治グループ稲妻の機関誌　A５判　64 頁
　1981 年１月～ 1994 年５月　37 号で終刊
　1991 年からは社会主義への代替戦略研究グループが編集
『カオスとロゴス』ロゴスの会　年３回　A５判　152 頁
　1995 年２月～ 2005 年 12 月　27 号で終刊　01 年から年２回
『ＱＵＥＳＴ』オルタ・フォーラムＱの機関誌
　隔月　A５判　64 頁～ 80 頁
　1999 年５月～ 2005 年 10 月　38 号で終刊
　別冊 『希望のオルタナティブ』2003 年３月
『もうひとつの世界へ』ロゴス刊　隔月　B５判　64 頁
　2006 年２月～ 2008 年 12 月
『プランB』（『もうひとつの世界へ』を改題）
　2009 年２月～ 2014 年１月　43 号で終刊
個人誌・月刊『探理夢到』
　2014 年４月～ 2015 年 12 月　15 号で終刊
季刊『フラタニティ』ロゴス刊
　2016 年２月～

だすのか、という点にあったのであり、……創りだす観点から総括すべきことを忠告します」という返事が返ってきた。その一カ月後に、私も東京拘置所に移されたので、手紙のやり取りが出来たことはラッキーだったが、この理由付けには釈然としなかった。本多さんには池袋の前進社でよく顔を合わせたし、寿司をご馳走してもらうこともあった。

職場では組合の書記長として数年間活動し、東大全体の東大職員組合の執行委員も一年だけ務めた。

共産党幹部との接点

共産党との関係については、次のことだけを略記する。

上田耕一郎さんからの年賀状

一九八三年に『朝日ジャーナル』に私が書いた「不破委員長と上田副委員長の奇妙な自己批判の意味」が掲載された（七月二九日号）。翌年の赤旗まつりを取材した記者に宮本顕治議長が私について「あれはトロ（トロツキスト）あがりの観察だよ」と語った（『週刊朝日』五月一八日）。

上田耕一郎副委員長ともかすかな接点があった。二〇〇六年に車椅子のお嬢さんも描かれた年賀状が届き、「実にエネルギッシュな活動ぶりですね」と一筆してあった。二月には共産党の役員退任の挨拶が届いた。この年秋に糸数慶子さんが沖縄県知事選挙に立候補したさいに、共産党にも何としても糸数支持を表明してほしかったので、上田宅に初めて電話した。電話に出た夫人が、「村岡です」と伝えたら、すぐに「いつも本を送っていただく村岡さんですね」と応じて、「主人は今、入院中ですが、お話は伝えます」と話を聞いてくれた。

もう一人、二〇〇七年に元・常任幹部会委員の吉岡吉典さんに出会った。私は大きな期待に胸をふくらました。だが、二〇〇九年三月一日、吉岡さんは韓国ソウルで「三・一独立運動」のシンポジウムで講演直後に倒れ、帰らぬ人となった！

七〇年代末に対話に応じて来た二人の党員はその後、関係が切れてしまったのは残念である。逆に、一〇年近く前に明治大学前の路上で声を掛けていらい接点を保持している、東京・足立区長も務めた吉田万三さんには、『フラタニティ』の編集委員を務めていただいている。

外国訪問の記録

外国を訪問した経験は少ないが、それでもソ連邦、中国、韓国、ブラジル、ベネズエラに行った。ソ連邦には、一九八九年夏に、社会主義協会系の労働大学が主催する「第六回訪ソ学習交流団」に参加した。二週間の長旅。

一九九一年六月に、モスクワで開催された国際シンポジウムに参加。二カ月後に八月クーデター。

一九九五年三月に、五〇年代に全学連の委員長を務めたこともある、龍谷大学名誉教授の田中雄三さんが主催した「第三回ロシア研究現地セミナール」に参加した。二年後にも参加した。

韓国には、一九九八年一〇月、ソウルの労働理論政策研究所から招待されて訪問した。

中国には、二〇〇二年一〇月に北京の社会科学院で開催された「国際シンポジウム　二一世紀の世界社会主義」に招待されて訪問した。

二〇〇四年に武漢大学からホテル代も旅費も提供する破格の扱いで招待された。観光旅行も遠く長江三峡を遊覧船で一泊するコース。

同年末に北京外国語大学の国際交流学部で日本人学生を相手に「哲学講義」を一七回おこなった。

ブラジルには、二〇〇五年一月に海岸都市ポルトアレグレ市で開催された第五回世界社会フォーラムに参加した。真夏のブラジルは連日三〇度以上の炎天。

ベネズエラには、二〇〇六年一月にカラカスで開催された第六回世界社会フォーラム（ＷＳＦ）に参加するために訪問した。ベネズエラへは直行便はなく、往復ともアメリカの宇宙基地のあるヒューストンで乗り換えるために飛行場の近くのホテルに一泊した。二月一日に、ＷＳＦ大会の写真を使ったルポを書いて『もうひとつの世界へ』創刊号を発行、綱渡りであった。

何人かとの貴重な出会い

挫けそうになることもあった拙い歩みのなかで、頑張らなくてはならないと踏みとどまることが出来たのは、時に、激励の言葉を聞くことが出来たからである。

高倉健さんには二〇〇六年に映画「単騎、千里を走る。」の感想を送ったら、「うれしく読ませていただきました。……二〇四本という映画を撮ってきましたが、生き抜いていくことはもがくことだと、感じております」と記された返信をいただいた。

翌年、山田太一さんのテレビ・ドラマ「遠い国から来た男」に感動して評を書き、拙著『悔いなき生き方は可能だ』と一緒に送ったら、一週間後にこの本の感想も入れたお手紙が返ってきた。

「『悔いなき生き方は可能だ』は、村岡さんの個人史、立ち位置が文章と分かちがたくあり、一つひとつの言葉が借りものではなく、村岡さんの語るところとなっていて、読後、一個の人格に接したような感銘がありました。

『愛』とか『宗教』とか、科学的記述を損なう輪郭も実体も判然としない世界を、なんとか網の中に捉えようとなさっていること、その努力に胸を打たれるし、その必要もとても感じました」。

涙が出るほどうれしかった。

同年に、尾高朝雄の『自由論』を復刻したので、私の『生存権・平等・エコロジー』と一緒に、尾高の一番弟子と知られている法学者の小林直樹さんに送ったら、「失礼ながら、〝独学〟でよくここまで勉強されたと感服しました。それに『生存権』は『生存権理念の展望』という拙論を処女論文として書いたなつかしい思い出があり、感銘ひとしお深いものがあります」という返事が返ってきた。『憲法の構成原理』（東京大学出版会、一九六一年）も同封されていた。小林さんは、二〇二〇年二月八日に亡くなり、前記の手紙を『フラタニティ』第一八号（二〇二〇年五月）に公表した。

一九八八年一月にロシア研究の渓内謙さん（二〇〇四年没）から新刊の『現代社会主義を考える』（岩波新書）が直筆のサイン入りで届いた。拙著を寄贈したので、その「お返し」だったのであろうが、とてもうれしかった。九五年にも『カオスとロゴス』などを送ったら、お礼のハガキが届き、翌年には『思想』四月号巻頭論文「ソヴィエト史における『伝統』と『近代』」を「謹呈」された。同じくロシア研究の岡田進さんには一九九七年にロシアからA・ブズガーリンを招待した際にご協力して戴き、現在も『フラタニティ』に「ロシアの政治経済思潮」を連載して戴いている。

昨年亡くなった梅原猛さんからは拙著を送るたびにハガキをいただいた。二〇一三年に『親鸞・ウェーバー・社会主義』を送ったら、「マルキシズムの再検討、大変に重要な仕事であると思います」と書かれていた。

鳩山友紀夫さんには『フラタニティ』の発行に協力していただき、第一四号から開始したコラム「私も読んでいます」に「友愛の政権構想を打ち上げよ」とタイトルする短文を寄せていただいた。

最後に一言。「ヨーロッパでは言葉の明瞭であることを求め、曖昧な言葉を避ける。日本では曖昧な言葉が一番優れた言葉である」。これは、一六世紀に宣教師として渡来したオランダ人のルイス・フロイスによる日本人評である（『ヨーロッパ文化と日本文化』岩波文庫、一九九一年、一八八頁）。私は明瞭な言葉を好むから、どうやらこの思想風土と合わないのかもしれない。それでもなお真剣な理論的探究が求められているはずだと、信じたい（『友愛社会をめざす』の「あとがき」）。

Ⅱ　社会主義像の探究

資本家は敵ではない
――〈賃労働・資本〉関係の廃絶のために

はじめに――なぜ再論するのか

「資本家は敵ではない」――このことについては、私は、二〇一〇年に「『階級闘争』の呪縛からの解放を――『資本家＝敵』は誤り」[1]（以下では前稿と略）で詳しく論じた。それなのに何故、また改めてテーマとして提起するのか。この一〇年に近い思索を通してこの問題についても新しく追加したほうが良い諸点に気づいたからである。

前稿では、その第3節に「『唯物史観』の意義と限界」と立てられていたように、論述の重点が、私自身がそれまで長く依拠してきたマルクス主義や唯物史観へのこだわりが強く、そこからの脱却に主眼があった。だから、「『資本家＝敵』は誤り」とは提起したが、それはサブタイトルとされていた。だが、本稿では「資本家は敵ではない」と真正面から表示した。何が違うのか？

自分を「左翼」と自認したり、マルクス主義に少しでも興味を持つ場合には、「唯物史観」に違和感はないだろうが、普通の人は、この四文字や「階級闘争」を目にする機会はほとんどなく、抵抗感をいだくほうが多いであろう。だが、「資本家」の三文字なら日常生活では使わなくても知ってはいる。その使用に拒絶反応を引き起こすことは少ないだろう。そうであれば、「唯物史観」や「階級闘争」をメインにするのではなく、「資本家」を主題にしたほうが理解の幅を広げることが出来る。

一〇年前の前稿でも「『資本家＝敵』は誤り」という認識がどのようなプラスを引き出すのかについては、大原美術館を建てた大原孫三郎などを例示して説明していたが、そこをさらに積極的に明らかにする必要があると考えるようになった。

直接には、この秋にロゴスから桜井善行氏の『企業福祉と日本的システム』を刊行することになり、学ぶところがあった。第2節で論じるが、「企業福祉」なる、私には初めての用語によって、〈賃労働・資本〉関係の複雑な現実的内実を教えられた。この貴重な解明は、「資本家＝敵」というドグマに拘っていたのでは不可能である。

この「まえがき」のような余計な説明は、書かずに済めばそのほうがスマートではあるが、自身（の認識）がどのように変わってきたのか、そのけじめをつけることが大切だと、私は哲学者の梅本克己さんから教えられた。

「資本家は敵ではない」と言われて、「お前は社会主義を主張していたのではないのか」と反発し、「労資協調主義」に陥ったのかと蔑む人がいるかもしれない。その心配は無用である。サブタイトルに「〈賃労働・資本〉関係の廃絶のために」と明記したように、私は「社会主義」の旗を降ろしたのではなく、〈社会主義像〉の内実をさらに深化させ、社会主義への道を切り開くことを目指している。だから、第1節は「社会主義の原義」と設定した。

第1節 〈社会主義〉の原義

本節で〈社会主義〉の原義をまず明らかにするのは、一九九一年末のソ連邦の崩壊を転機として、「社会主義の破産」が常套句とされ、「社会主義」は日本では死語となりつつある感すらあるからである。しかも社会主義についての誤解が広く流布されている。「社会主義」の対句は何かと問うと、「自由主義」と答える人が少なくない。「資本主義」の代わりに「自由主義」と言う場合が多かったからである。ある時、もう一〇年近く前に、人間総合学会なる学会で私が報告する研究会があったのであるが、この学会の共同代表（小林直樹氏ではない、もう一人）が「社会主義と資本主義の違いは政治体制にある」と発言したことがあった。社会科学系ではなく、文科系の人であったが、ただ呆れた。

しかし、アメリカでもイギリスでも近年ふたたび「社会主義」が話題となりつつある。私は、二〇〇五年に『社会主義はなぜ大切か』を著したが、改めて社会主義とは何かを再確認したい。「社会主義者」（Socialists）という言葉は、『資料・イギリス初期社会主義』によれば、イギリスで一八二七年に初めて登場したという。(2) 伊藤誠氏は、一九九二年に著した『現代の社会主義』

の「第一章　社会主義は何をめざしてきたか」の書き出しで「社会主義Socialismという用語は、一八二七年一一月にロンドン協同組合協会の機関誌にはじめて用いられ」たと書いている。[3] ヨーロッパにおいて、一六世紀以降、封建制のなかで資本の集積が進行し、資本制生産が生成され、一八世紀半ばからの産業革命を経て定着・発展し、時代を画することになった。この時代に、労働者の反抗が時に社会を揺るがし、イギリスではオーエン、フランスではサン・シモン、フーリエらが活動した。一八一八年にドイツで誕生したマルクスと二歳下のエンゲルスは、彼らを「空想的社会主義」とし、自らを「科学的社会主義」と称した。

エンゲルスが一八八〇年に著した『空想から科学への社会主義の発展』の冒頭の一句には次のように書いてある。

「現代の社会主義は、……有産者と無産者、すなわち資本家と賃金労働者との階級対立……をみとめることからうまれたものである」[4]。

エンゲルスは、サン・シモン、フーリエ、オーウェン、を「三人の偉大な空想的社会主義者」（五六頁）と評価したうえで、それらを超えるものとして、マルクスによる研究の意義を強調した。

エンゲルスは、「唯物史観がうちたてられ」（八二頁）たことによって、「資本主義的生産様式」を打破する道が明らかとなったとして、「二つの偉大な発見、すなわち唯物史観と剰余価値による資本主義的生産の秘密の暴露とは、われわれがマルクスに負うところのものである。これらの発見によって、社会主義は一つの科学になった」（八四頁）と結論した。「唯物史観」とは、「経済的構造こそ、政治制度〔などの〕全上層建築を説明すべき実存的な基礎である」（八二頁）とする歴史の見方である。

エンゲルスは、「社会的生産と資本主義的領有とのあいだの矛盾が、プロレタリアートとブルジョアジーとの対立となって、あかるみに出た」（九一頁）と傍点を付して強調した。そして、「プロレタリアートは、国家権力を掌握し、そして生産手段をまず国有に転化させる」（一〇四頁）と強調した。さらに「国家は死滅する」（一〇五頁）と展望し、「あらかじめ決定された計画による社会的な生産がいまや可能になる」（一一二頁）と結論した。

「あらかじめ」誰がどうやって「決定」するのかも不明であり、「資本主義的生産様式」、「資本主義的生産」、「資本主義的領有」と微妙に異なる用語が使われているが、エンゲルスの説明でもっとも重要なのは「資本家と賃金労働者との階級対立」にある。語順としては、「賃金労働者と資本家」のほうが適切である（「労資関係」とは言うが、「資労関係」とは言わない。労働こそが根源的だからである）。

賃金労働者と資本家との関係を「階級対立」とまで認識・表現したところに大きな問題が潜んでいたのであり、そのことは後述するが、その前に確認すべきことは、生産、別言すれば経済の領域あるいはレベルをこそ主要なものと捉えたうえで、その生産が賃金労働者と資本家との関係を通して実現している、と捉えた点である。政治制度や文化ではなく、経済が主要な問題なのである。生産は、人間が労働対象（自然）を労働手段を用いて加工する＝労働することの結果である。

〈労働〉は、今日なお人間が生存し、生活を営む根本的前提であり、土台をなしている。その〈労働〉の主要な部分が賃金を得るための手段として、別言すれば〈労働力の商品化〉を通して実現されているところに、〈資本制経済〉の特徴・核心がある。宇野弘蔵が特に強調した要点である。〈労働力の商品化〉(5)は、土地と生産手段が資本家によって私的に所有されているから生じる。何をどれだけ生産するか、そこには価値法則が貫かれ、利潤追求を動機・目的とする資本の論理が貫かれている。さらにマルクスは、この資本制社会を「人類前史の最終章」と意味づけ、そこを超克することを提起した。そこにこそ、マルクスと彼の『資本論』の真髄があり、それは今日なお有効な認識の拠点である。なぜ、「人類前史の最終章」と言えるのかについては、宇野が一九五一年に明らかにしていた(6)。

したがって、〈社会主義〉の原義は、この生産のあり方〈〈賃労働・資本〉関係〉を根本的に転換することにある。価値法則を廃棄して、「協議した計画」によって生産を実現するようになる。「協議した計画」とは、マルクスが『資本論』のフランス語版で、それまでのドイツ語版での「自覚的」としていたところを書き換えたものである(7)。私は、一九九七年に「『計画経済』の設定は誤り」を発表して、この言葉にヒントを得て、「協議経済」を提起し、翌九八年に「〈協議経済〉の構想」で素描した(8)。貨幣に代わる〈生活カード〉によって生産物の引換が実現する。さらにマルクスは言及していないが、そこでは労働は〈愛ある労働〉となり、〈誇競〉〈誇りをめぐる競争〉が労働の動機となる。

社会主義の政治制度は〈民主政〉を充実させる。従来は、マルクスに習って「ブルジョア民主主義」を打倒して「プロレタリアート独裁」を実現すると考えられてきたが、原理的には〈個人の尊厳〉と〈法の下での平等な権理〉を基礎とする〈民主政〉は、現在は選挙制度の歪みによって〈歪曲民主政〉に堕落しているが、原理的には改変する必要は無い。私はこのことを「『プロレタリアート独裁』論の錯誤」（二〇〇〇年）の翌年に書いた「〈則法革命〉こそ活路」で「政治の領域では、原理の上で根本的に変革しなければならない内実は無かったのである」とゴシックで強調した[9]。「国家の死滅」まで展望（願望）するエンゲルスの見通しは、レーニンに引き継がれ、左翼運動に大きな影響を与えてきた。だが、マルクスは「国家の死滅」とは書かない。マルクスは『ゴータ綱領批判』で「そこ〔共産主義社会〕では現在の国家制度に似たどんな社会的機能が生き残るだろうか」と書いた[10]。

文化の領域では、〈多様性〉を開花する。マルクスやマルクス主義では従来「多様性」は忌避されてきた（本書、三四頁、参照）。

この原義を基礎として、現実的にはどのように実現していくのかについて、歴史的経験に踏まえて探究していかなくてはならない。ソ連邦の崩壊という巨大な負の経験からどのような教訓を掴み取るかが、その重要な課題の一つである。共産党のように、「社会主義とは無縁」などと切り捨てることによっては歴史的教訓を掴み取ることは出来ない。私は、一九九二年に「レーニンの『社会主義』の限界」[11]を書き、前記のように二〇〇五年に『社会主義はなぜ大切か』を書き下ろした。

社会主義への道については別に論じなくてはならない。私としては初めての提起であるが、この過程では〈大企業の民主的規制〉が〈社会主義への経済的接近〉の基軸となる。[12]

第2節　桜井善行氏の「企業福祉」論をヒントに

この秋に、ロゴスから桜井善行氏の『企業福祉と日本的システム』を刊行した。「民間研究者」を自負する著者による優れた研究成果である。私は、この著作によって新しく二つのことを学ぶことが出来た。

一つは、本書のタイトルにもなっている「企業福祉」である。資本家は自分が雇用する労働者に対して、「労働力商品」の対価として賃金を支払うだけではなく、それ以外にもさまざまな出費を負担している。桜井氏は、「企業福祉」を「企業が従業員に提供する賃金以外のサービス・給付・施設の総体」と定義している。[13]

資本家は、「労資関係」を保持するためにさまざまな施策を講じている。大正時代から「渡り職工」と言われた造船や鉄鋼などの大企業の「熟練労働者」の転職を防ぐために、企業福祉（福利厚生）が導入された。労働者を自分の企業に定着させるためには、さまざまな「企業福祉」が必要とされたのである。また、大企業では、トヨタ自動車などのように、「企業内教育」として学校を運営してもいる（「第6章　企業福祉と企業内教育」で詳述）。

これまでは資本制経済について、その本質は「労資関係」にある、とか「それが搾取の根源だ」と、ただ一言で済ましてきた傾向が、私も含めて多かったのではないだろうか。しかし、現実にはさまざまな関係や要因が複雑に絡まっている。そこまで包括的に認識することが必要だったのである。

もう一つ学んだのは〈企業の社会的責任〉についてである。桜井氏は「第4章　企業の社会的責任と企業福祉」で詳述している。この考え方もマルクス経済学においては不在であるが、近年は「企業の総本山である日本経団連などもCSR〔Corporate Social Responsibility〕について公言するようになった」（一三一頁）。「一九九〇年代以降、日本のほとんどの大企業では『環境報告書』の類の文書が公表されるようになった」（同）。

もちろん、桜井氏が「『企業不祥事』とコンプライアンス」と節を立てて明らかにしているように、企業犯罪や不祥事も後を絶たない。それらは、利潤追求を目的・動機とする資本の論理が生み出している。この面についてもしっかりと認識・批判しなくてはならない。だが、同時に〈企業の社会的責任〉が厳しく問われるようになったことも事実であり、その意味を軽視してはならない。単に、企業イメージを上げるための宣伝に過ぎないとか、犯罪的行為を押し隠すベールだと、切り捨ててはならない。

このような場合に条件反射的に反発する誤りの好例がある。前稿で紹介したように、企業メセナの先駆例でもあるが、明治時代の実業家・大原孫三郎は倉敷紡績を経営しただけではなく、一九三〇年に地元の倉敷に「大原美術館」を日本で最初の西洋近代美術館として開設した。それが「スタートした際には、『資本家の搾取の見本！』などの叫びで、『美術館のまわりは騒然とした』[14]」という。

大原美術館は現在も多くの市民が参観している。

この一一年前一九一九年には法政大学大原社会問題研究所が大原によって創立された。日本でもっとも古い歴史をもつ民間研究機関である。また、大原が一九二三年に建てた「倉紡中央病院」は自社の労働者だけでなく、市民の診療も行った。日本のオーエンとも賞すべき大原について知ることも大切である。

〈企業の社会的責任〉の実態については、桜井氏の著作から学んでほしい。その一つとして、桜井氏は企業が経営する病院の例をあげている。トヨタの「企業城下町の豊田市と刈谷市には市民病院（公的医療機関）はない」。「豊田市にあるトヨタ記念病院」が敗戦前から地域の医療を支えている（二二四頁）。

社会主義を志向する私たちにとっては、〈企業の社会的責任〉という視点は、〈社会主義への経済的接近〉の主要な内実としてしっかりと定位しなくてはいけない。〈企業の社会的責任〉を明らかにして追求することは、社会主義を準備する活動でもある。その企業が何を生産し、それにともなって如何なる影響を社会に与えるのか、それが社会にとってマイナスの影響である場合にはどのように対処しなくてはならないのか、その対策のためにはいかなる出費が必要となるのか、などについて、その企業の労働者も熟知しなくてはならない。そのためには企業の会計を透明なものにしなくてはならない。〈情報公開〉が必須の条件となる。それらの知的努力を企業の労働者も分担しなくてはならない。その過程で獲得するさまざまな知識と能力は、社会主義経済を創造する場合に活かされる。

桜井氏が〈企業福祉〉と〈企業の社会的責任〉について真正面から主題として解明したことについては、積極的評価し、学ばなくてはならない。他方、桜井氏が、「労資関係」とは書かずに、「労使関係」と書いていることについては、疑問がある。

ともに音読みすると「ろうし関係」なので紛らわしいが、表現したいことに違いがあるはずである。なぜ、「労使関係」を使うのかの説明が必要なはずであるが、それはない。この著作では「資本家（使用者）」が一度、「資本家」が一度、「使用者」が三度だけ使われている（一九、七三、九八、一一一、一七三頁）。この点は改める必要がある。

「使役」はあるが、普通には「使用」は人間や動物いがいの物品についての言葉であり、人間の場合には「雇用」という。だから、「資本家」と言わないのなら、本来は「雇用者」とすべきである。「資本家」以外にも国家や地方自治体や非営利団体が雇用する例も少なくない。だが、「労雇関係」と言う人はいない。結局、「労使関係」を使う人は「資本家」用語を嫌い、「資本制経済」であることを強調しないため、あるいは曖昧にする意図が潜んでいるのではないか。「資本家＝敵」という観念がこの傾向を助長する。「資本家」と書くと、「資本家階級打倒」に直結してしまうことを避けたいという気持ちが、「労使関係」を使わせるのではないか。桜井氏は、何度も企業の目的は利潤追求にあると説明しているのだから、「労資関係」を使うほうが整合的ではないだろうか。

事実、「資本家＝敵」観念に囚われていたのでは、「企業福祉」や「企業の社会的責任」を真正面から捉えることは出来ない。この二つの用語は『資本論』には出てこない。だから、桜井氏が強調するように、「企業福祉」はマルクス主義者のなかでは、本道ではなく脇道に追いやられていた。だが、「資本家＝敵」というドグマから解放されれば、「労資関係」と明確にした上で、「企業福祉」や「企業の社会的責任」についても本道の主要部分として探究できるのである。

私は、二〇〇九年に『生存権所得』の巻頭で「憲法はなぜ大切か」と章立てして、次のように書いた。「ワイマール共和国の司法大臣にもなった、オーストリアの法学者グスタフ・ラートブルフが先駆的に明らかにしているように、『ブルジョアジーは自由を法の形式で要求したために、この自由は万人のための自由となった』。そして小林直樹氏が一九六一年に著した『憲法の構成原理』で明確に強調しているように、『ひとつの階級による・憲法の永続的な独占を不可能にしてしまった』のである」[15]。小林氏は「民主憲法の機能とポテンシャルは、単純な階級性で塗りつぶされてはならない」と注意していた[16]。

ラートブルフはまた、『社会主義の文化理論』で「社会主義はある特定の世界観に結びつくものではない」と明らかにした[17]。ラートブルフはすぐ後で「そうはいっても階級闘争という言葉は、……党の用語から抹殺すべきではない」（同）と加えているが、これは不徹底である。

私が何度も繰り返しているように、「個人の尊厳」と「法の下での平等」を基礎・原理とする〈民主政〉の成立によって、「或る階級が支配する」という関係は廃絶された。経済的に優位に立つ人が同時に政治においても優越的位置を占めることは原理的には排除されるように、人類は歴史的に前進したのである。生産手段を所有することによって、経済では優位な位置に立つ資本家といえども、そのことによって政治においても他者を支配することが出来るわけではない。彼らも議会制度に従うほかないのである。だからこそ、現実の政治においては、議会制度、その中軸をなす選挙制度がきわめて重要な役割を果たす。

日本では、一九九六年以降実施された小選挙区比例代表並立制によって、民意が大きく歪められ、〈歪曲民主政〉となっている。

むすび

むすびに進む前に、思考の柔軟体操のために、梅本克己から学ぶことにしよう。

梅本は、「抽象が威力あるものとなるのは、それが捨てられた大事なものの重さに支えられたときである」と教えていた(18)。一九六四年に書いた「唯物論における主体性の問題」の文末の一句である。「捨てられた大事なもの」とは何か、その「重さ」とは、そして「支えられる」とはどういう意味か。深く考えなくてはならないことは少なくないし、前記のような見落としがあっても、マルクスの「抽象」は大きな影響を拡げたとは言えるが、にもかかわらず、その欠落は、真実に「威力あるものとなる」ことを妨げていると総括すべきである。

以上の論述によって、何を新しく掴むことが出来るのか。前稿でも「結論　新しい可能性」で（一一二頁～一一四頁）そのメリットを四点あげたが、改めて明らかにしたい。

第一に明確になるのは、「階級闘争史観」からの脱却である。前記のように「左翼のなかでは『階級闘争』は、もっともランクの高い用語となっ」てきたが、そこに大きな錯誤があったのである。

同時に〈民主政〉成立の意義をしっかりと認めることが、第二の確認点である。〈民主政〉の下においては、社会の変革は〈市民〉を主体とする〈則法革命〉として実現することが出来るようになったのである。

第三に、社会の改良や変革を望む人があらかじめ「資本家は敵だ」と決めつけるのではなく、より公平な姿勢に立って自らの主張を展開することが出来るようになる。対話の前に拒絶反応を引き起こしたのでは、真意を伝え広げることは出来ない。前稿で明らかにしたように、あえて「敵」を使うなら「敵は制度」なのである。何度も繰り返しているように、〈賃労働・資本〉関係の廃絶こそが課題なのである。

私はここで、はるか昔に読んだ埴谷雄高の『幻視のなかの政治』を思い出した。アナキズムとマルクス主義との接合を目指したのかもしれない埴谷の思索・業績について語る素養は、私にはないが、「敵は制度」という言葉だけは記憶の底にあった。再読したら、埴谷は一九五九年の論文「敵と味方」で「敵は制度、味方はすべての人間、そして、認識力は味方のなかの味方」[19]と書いていた。「味方はすべての人間」よりも、「すべての人間は味方になり得る」のほうがベターであるが、「認識力は味方のなかの味方」も深い人間理解だと感嘆する。今日、まさにその〈認識力〉が衰弱しているのではないか。

「資本家は敵だ」と対をなす味方の側のスローガンは、『共産党宣言』の最後の呼びかけである「万国の労働者、団結せよ！」であり、長い間、左翼の共通の合言葉として慣用されていた。一九二〇年のコミンテルン第二回大会からは「万国の労働者、被抑圧民族、団結せよ！」も使われてきた。日本共産党の「赤旗」も題字の脇にそう記していた時期があった。近年は余り見かけなくなった。

機関紙を交換しているので知ったのであるが、愛知の「ユニオンと連帯する市民の会」の機関紙「結」ゆいの題字脇には「万国の労働者と市民　団結せよ！」と記されている[20]（桜井氏はそこの指導的メンバーである）。「市民」が加えられているところに新しい工夫がある。労働組合活動家を主たる読者とする機関紙だから、これが最適であろう。

第四に、さまざまな「改良」のための努力について、すぐに反発するのではなく、改良のための努力の中に革命への志向性を掴み取り、伸ばしてゆくことが必要である。これまでは「改良主義」という悪罵が良く発せられていた。

労働組合の主要な課題の一つに賃上げ闘争がある。賃上げは、賃金制度を前提にしている。しかし､賃上げ闘争を否定する人はいないであろう。同じように､さまざまな改良の要求についても､「改良主義」として反発・否定するのは誤りなのである。

もちろん、改良の中には差別を肯定したり、〈賃労働・資本〉関係という認識を阻んだり、曖昧にする意図が込められている場合も少なくない。だから、その点については適切に批判する必要がある。

最後に、前稿のおわりに書き加えた一文をやはり再録しておきたい。

「自分の最初の試みの中途半端さ、弱さ、くだらなさを、残酷なほど徹底的にあざける」[21]——この印象に残る言葉は、マルクスが『ルイ・ボナパルトのブリュメール十八日』の初めのほうで、「プロレタリア革命」の性格を説明するときに書いた。文脈を無視することにもなり、他人にむけて発するほど無恥になることはできないが、私にとっては、「資本家＝敵」という認識の限界・誤りを明らかにすることは、このマルクスの言葉を思い出す必要を感じるほどのいわば飛躍でもある。

〈注〉

(1) 村岡到「『階級闘争』の呪縛からの解放を——『資本家＝敵』は誤り」：『ベーシックインカムで大転換』二〇一〇年。「〈支配構造〉と問題を立てる意味」：『閉塞時代に挑む』二〇〇八年、も参照。

(2) 都築忠七編『資料・イギリス初期社会主義』平凡社、一九七五年、一三三頁、一三一頁。

(3) 伊藤誠『現代の社会主義』講談社、一九九二年、二四頁。日本語の出典が示されていない。前注(2)では「ブライトン協同慈善基金組合」で、「社会主義者」としている部分も異なる。「機関誌」のタイトルを原語で示しているが、それは前注と同じである。別の文書から引いたのかもしれない。

(4) エンゲルス『空想から科学への社会主義の発展』大月書店、一九五三年（原書：一八八〇年）、五三頁。
(5) 宇野弘蔵『経済学方法論』(東京大学出版会、一九六二年)など参照。労農派系統の宇野が特に強調したので、講座派(共産党系)は、この言葉を敬遠する。だが、上田耕一郎は、「労働力の商品化」とは書かないが、「人間の労働力」は「特別な商品」であると説明している(『青年の未来と社会主義』新日本出版社、一九八五年、三五頁)。上田の姿勢は、近代経済学にも目配りするなど極めて柔軟である。
(6) 宇野弘蔵『思想』一九五一年五月号。『社会科学の根本問題』青木書店、一九六六年、九一頁。
(7) マルクス『フランス語版資本論』上、法政大学出版会、一九七九年、五四頁。
(8) 村岡到「『計画経済』の設定は誤り」:『協議型社会主義の摸索』社会評論社、一九九九年、二三二頁。同書に、「〈協議経済〉の構想」も収録。
(9) 村岡到「〈則法革命〉こそ活路——民主政における革命の形態」『連帯社会主義への政治理論』五月書房、二〇〇一年、一六八頁、一六九頁。
(10) マルクス『ゴータ綱領批判』岩波文庫、一九七五年、五三頁。村岡到『社会主義はなぜ大切か』社会評論社、二〇〇五年、一五八頁。
(11) 村岡到「レーニンの『社会主義』の限界」:『協議型社会主義の摸索』所収。
(12) 日本共産党『民主連合政府綱領』一九七五年、五二頁。同『新・日本経済への提言』(一九九四年)には「第三章　経済民主主義にたつ改革、大企業への民主的規制」とある。
(13) 桜井善行『企業福祉と日本的システム』ロゴス、二〇一九年、一四頁。
(14) 城山三郎『わしの眼は十年先が見える——大原孫三郎の生涯』新潮文庫、一九九七年、二五四頁。村岡到『ベーシックインカムで大転換』二〇一〇年、九八頁。
⒂ 村岡到『生存権所得』社会評論社、二〇〇九年、二六頁。グスタフ・ラートブルフの引用は、小林直樹『憲法の構成原理』東京大学出版会、一九六一年、三二八頁から。
⒃ 小林直樹『憲法の構成原理』東京大学出版会、一九六一年、二九頁、二一頁。
⒄ グスタフ・ラートブルフ『社会主義の文化理論』みすず書房、一九五三年、一三三頁。『連帯社会主義への政治理論』二六二頁。『生存権所得』二六頁。
⒅ 梅本克己『マルクス主義における思想と科学』三一書房、一九六四年、三四七頁。もう一つ、よく憶えている一句もある。「否定面の理解をともなわぬ肯定が弱いものであるように、肯定面の理解をともなわぬ否定は弱い」（同、一三〇頁）。
⒆ 埴谷雄高『幻視のなかの政治』未来社、一九六三年、一〇四頁。本書の第一論文「政治のなかの死」では「やつは敵である。敵をころせ」が「数千年のあいだつねに同じ」「政治の意志」であると断言していた（二四頁）。
⒇ 愛知の「ユニオンと連帯する市民の会」の機関紙「結」。
㉑ マルクス『ルイ・ボナパルトのブリュメール十八日』岩波文庫、一九五四年、二二二頁。

社会主義経済における〈分配問題〉

――森岡真史氏の提起について

今夏（二〇一七年）、私が編集して『ロシア革命の再審と社会主義』を刊行した。サブタイトルは「ロシア革命100年記念」。そこに森岡真史氏から「販売競争から獲得をめぐる闘争へ――社会主義経済における意図せざる解放と束縛」を寄せていただいた。この論文ではこれまでのロシア革命論では取り上げられていない、社会主義に向かう経済建設上きわめて重要な問題が提起されている。そこでこの斬新な提起をどのように受け止めたらよいかについて考える。

第1節　森岡真史氏の一貫した鋭い問題意識

本題に進む前に、六年前に「森岡真史論文に答えることが急務」なる短評を書いたので、その要点を確認する。ソ連邦崩壊二〇年の二〇一一年に『経済科学通信』が「『ソ連型社会』とは何であったか」を特集した後、その次号に求められた「誌面批評」である（先の編著の前編ともいえる、昨年刊行した拙著『ソ連邦の崩壊と社会主義』に収録)。

『経済科学通信』に掲載された森岡論文の核心は次の点にある。

「一方で生産手段の国有化をめざさないとしながら、他方で、生産手段の私的所有や利潤追求を敵視し、その廃棄の必要を強く示唆するような資本主義批判を説き続けるのは、責任ある態度とは言い難い」。

私は、文中の後半を保持するがゆえに、前半〔生産手段の国有化をめざす〕も保持する。森岡氏と私との違いはここにある。問題は、「生産手段の国有化」(自治体所有も含む)を実現するプロセスにある。

森岡氏は、ロシア革命を例にして、「生産手段の私的所有を廃絶し、私的市場を経済から排除する」ことがもたらす問題点を五つ指摘している。いずれも重要な論点である。

森岡氏は、「事前に確定していない人々の欲求を、迅速かつ効率的に充足する方法としては、『利潤のための生産』に代わるものはまだ見出されていない」と書く。確かにその通りであるが、問題の急所は「迅速かつ効率的」という基準が歴史貫通的に普遍的なのかにある。別言すれば生産の動機の問題である、経済人類学の知見を引くまでもなく、利潤に頼らない労働・生産の事例は珍しいことではない。生産の動機を労働主体に即して考えれば〈労働の動機〉となるが、私はそれを〈誇りをめぐる競争〉として創造されるべきだと提起している。幸徳秋水が日露戦争の前年に『社会主義真髄』で「知徳の競争」と説いたことと重なる(1)。

実はこの拙文よりもさらに一〇年前の二〇〇一年に、森岡氏は「ロシア革命における『収奪者の収奪』」を発表していた。抜き刷りを送付された私は、その質の高さに驚き、共通認識にすべきだと確信してその森岡論文を当時刊行していた『カオスとロゴス』第二〇号（二〇〇一年一〇月）の特集「ロシア革命とは何だったのか」の巻頭に転載し、加えて二〇〇五年に刊行した上島武・村岡到編『レーニン　革命ロシアの光と影』（社会評論社）に収録させていただいた（タイトルは「レーニンと『収奪者の収奪』」に変更）。この論文は、ロシア革命直後の経済建設において、マルクスが『資本論』で書いた「収奪者の収奪」といういわば恰好よいキャッチフレーズ（そのすぐ前には「資本主義的私的所有の弔鐘がなる」と記されている）をヒントに強行された経済政策が錯誤に満ちたものだったことを鋭く解明していた。「マルクスの権威」にひれふす「研究者」が少なくないなかで、異色の研究であった。上島さんは、「はしがき」で、「森岡真史論文も、かつて『資本にたいする赤衛軍的攻撃』（レーニン）と呼ばれたものが実は経済を破壊し、国民生活を破綻させることでしかなかったこと、そもそも『収奪者の収奪』構想がかかる結果に至らざるを得ない論理的必然性を内包していたと述べる(2)」と要約した。

このように森岡氏の問題意識は一貫している。ロシア革命後の経済建設の実態がいかなるものであり、その失敗の経験から経済学上どのような教訓を得ることが出来るのか、この一点に探究の焦点がある。

第2節　村岡「ソ連邦論」との関係

本稿のテーマとは少し位相が異なるが、ソ連邦をどのように規定したらよいかについて関心を持つ人で、かつ私がソ連邦を未だ「社会主義」ではないと主張していることを知っている場合に、次のような疑問・批判を招く可能性があるので、この点について簡単に答える必要がある。森岡氏はソ連邦を「社会主義」としたうえで論じているではないか、これは村岡認識とはバッティングするのではないか、という疑問である。

ソ連邦をどのように評価・規定するかについては、一九二〇年代から論争になっていた。オットー・バウアーやカール・カウツキーら社会民主主義者は「国家資本主義」論を主張し(3)、第四インター周辺では当時から争点となっていた。トロツキーは一九三六年に著した『裏切られた革命』で「堕落した労働者国家」として明確に論述した。トロツキーは、同書で「国家資本主義」論について「それがなにを意味するかをだれも正確には知らないという点で都合がよい」と皮肉を込めて批判した(4)。だが、ソ連邦の崩壊後に過去の論争とは全く切断されて「国家資本主義」論が一部で流行した。この説の根本的な難点は、「資本主義」だと規定しているにもかかわらず、ソ連邦の経済が「賃労働と資本」を基軸にしていると実証できず、生産の動機・目的が利潤にあることも「価値法則」が貫かれていることも示せないことであり、ソ連邦の経済を少しでも観察すれば、すぐにその大きな特徴として気づくはずの「ヤミ経済」や「指令」についてまったく触れないことである。この謬論をなお主張している大西広氏は、何回も自説が「通説」になったとか、「今や日本のマルクス派理論経済学者の半数が支持するものとなっている」と自慢している[5]が、多数決で真理や正しさが立証されるのだろうか。

「国家社会主義」論もある。例えば、イギリスのデーヴィッド・レーンの『国家社会主義の興亡』が二〇〇七年に翻訳された。レーンは、「日本語版序文」では「著者の接近が他と異なるもっとも重要な点は、国家社会主義社会を『全体主義』とも『社会主義』とも見ていないことであ[6]」ると注意している（傍点は村岡）。「『社会主義』とも見ていない」のに、「国家社会主義」と呼称するのは背理である。

さらに、日本共産党は「社会主義とは無縁」と言い出した。ソ連邦崩壊から一三年も経って二〇〇四年に開かれた第二三回党大会で改定された「綱領」で「ソ連〈など〉は社会主義とは無縁な人間抑圧型の社会」だったとされた。最近では、不破哲三氏は「レーニンは……マルクス本来の立場を完全に誤解した[7]」とまで評するほどである。かつては『「新しい思考」はレーニン的か』（新日本出版社、一九八九年）なる本を書いていたのに、驚くべき変貌である。

私は、トロツキーの「堕落した労働者国家」を継承する立場から、前記のそれ以外の諸見解を誤りだと排して、一九七五年の習作「〈ソ連邦＝堕落した労働者国家〉論序説」では、「スターリン主義官僚制」とも「過渡期社会」とも書き、八三年に書いた「社会主義社会への歴史的発展」では、「官僚制」問題を重視して、〈官僚制過渡期社会〉と明らかにし、〈官僚制の克服〉を提起した。九九年に「ソ連邦経済の特徴と本質」では、経済について「官僚制指令経済」とした。二〇〇三年に「『社会』の規定と党主政」では「指令制党主政」と書いた。そして前記の一一年の「誌面批評」では、〈党主指令社会〉と表現した（「党主」は〈党主政〉の略で、「指令」は「指令経済」の略である）。さらに、冒頭の『ロシア革命の再審』掲載の「社会主義実現の困難性」では、〈社会主義志向国〉と捉えることが適切だと加えた。実は、「この新しい用語は、一九八一年末のポーランドの戒厳令発動の直後にイタリア共産党のベルリンゲル書記長が使いだしたものである」(8)。そしてその内実をさらに表現すれば〈党主指令社会〉となる。一七世紀から一九世紀中葉の日本を「徳川時代」とも「封建社会」とも言うように、二つの用語を使えば良い。

〈社会主義志向国〉ならば、森岡氏の立論とも重なりあうことができるのではないだろうか。森岡氏は明示してはいないが、森岡氏の立論は「国家資本主義」「国家社会主義」「社会主義とは無縁」の三説とは相容れないことは明確である。

そして、何よりも重要なことは、〈ロシア革命の経験から何を学ぶのか〉である。私は二〇一四年に発表した「『ソ連邦＝党主指令社会』論の意義」(9)で次のように確認したので要約する。

A　一九一七年のロシア革命の勝利によって切り開かれた社会主義の実現にむけての実践の大きな意義を明らかにする。

B　ソ連邦の肯定面とともに否定面を直視・批判すること。

C　マルクス主義の内実を俎上にのせて再審すること。ソ連邦で犯された重大な誤謬や逸脱に、マルクス主義は責任を負う必要はないのか。

D　この問題をめぐる思索と探究は、〈社会主義像〉の深化・豊富化として結実する方向でなされなければならない。

なお、森岡氏は、『ロシア革命の再審』に収録した、拙著への書評で、私が今度あたらしく提起した〈資本主義克服社会〉について、「それは、資本主義の諸問題の克服という共通の目的のもとに種々の政策が試みられる社会であり、……このような探求を積み重ね、経験に学びながら、一歩ずつ前進してゆくべきであるという著者の主張に、評者は全面的に賛同する」[10]と書いている。

ロシア革命一〇〇年の今年、一〇〇年を記念する論文、著作、雑誌での特集がわずかながら発表されつつあるが、社会主義志向を明確にしたものは少ない。「国家資本主義」「国家社会主義」「社会主義とは無縁」の三説を唱える論者からの積極的な提起はなお出現していない。前記の二著は、この三つの謬論を排した〈社会主義志向国〉論の有効性を傍証すると言ってもよいだろう。

第3節　「分配」問題の重大性

今度の森岡論文では生産物の「需要と供給」あるいは「労働者と消費者」という視角から問題を解明している。そこに踏み込む前に、一般には「生産と分配」として説かれているので、この視角から「分配」問題の重大性について確認しておくほうが良い。

私はつい最近になって知ったのであるが、実は「生産と分配」の問題は、マルクスがJ・S・ミルへの批判として論じた論点であった。武田信照氏によれば、マルクスはミルを「生産・分配二分論」と強く批判した。マルクスは「生産のあり方が分配のあり方を規定する」という面だけを偏重して、ミルを「ブルジョア経済学」と論難した。[11] 問題はこの非難によって、「生産」にだけ注意が集中して「分配問題」の重要性が見失われることになったことである。

ついでに、と言っても付随的でもなければ、重要性が低いわけでもないが、ロシア革命においてもっとも経済学に長けていたプレオブラジェンスキーは一九二六年に著した『新しい経済』で、「マルクスとエンゲルスはどこを探しても、……ソヴィエト経済の発展によって提起される夥しい諸問題について何も述べていない[12]」と明らかにしていた。私の読書など多寡が知れているが、このプレオブラジェンスキーの指摘を引用する研究書を読んだことがない。実は、マルクスもレーニンさえも「計画経済」という言葉は使っていなかった。この言葉は、一九一九年に誕生したワイマール共和国の経済大臣が使いはじめたのである。このことは、私が一九九七年に「『計画経済』の設定は誤り[13]」で明らかにした。本稿は上島武さんの追悼文集なので、あえて加えると、レーニンが「計画経済」と書いていないという点について、上島さんは「そんなことはない」と、私に語ったのであるが、その後「済まん、あれは間違いだった」と詫びた。紳士（真摯）だと感じたことを憶えている。

対比的にいうと、一人（？）トロツキーは、「分配問題」の重要性に気づいていた。トロツキーは経済運営における「分配」の重要性についても注意を喚起した。『裏切られた革命』で、特権官僚と貧しい労働者の隔絶たる格差を直視して、「皮相な『理論家』は富の分配は、富の生産にくらべて第二次的な要因だということで、自分自身をなぐさめることができる」と辛辣に批判した。[14]

私は、一九九五年ころに社会主義経済計算論争の存在に気づき、少し勉強することを通して、マルクスが「分配」の重要性について見落としていたことを明らかにした。だが、本当に必要なことは、社会主義経済での分配がいかなる形態で実現するのか、その内実に迫ることであった。森岡氏の新しい提起は、まさにこの欠落を埋める探究に通じている。

そこに踏み込む前に、〈社会主義〉を構想する基本的立場・立脚点を確認しておくほうが良い。

私は「『ソ連邦＝党主指令社会』論の意義」で次のように書いた。

私は、〈社会主義〉の核心的指標は、「価値法則を止揚する」ことにあると、一九八三年に発表した「社会主義社会への歴史的発展」で明らかにした。この課題はきわめて難儀であり、どのような形態において実現するのか、明確になっているわけでもない。何世紀先に実現するか、誰にも分からないが、この核心を保持・遠望することは、今日なお重要で大切であると、私は確信している。

経済の運営にとってもう一つ絶対に欠かせない重要問題が存在する。何をどれだけ生産して、その生産物をどのように分配するかという大問題である。〈経済計算〉とも言う。この問題については、一九二〇年代から国際的規模で「社会主義経済計算論争」が展開されていた。だが、この論争は、日本のマルクス主義経済学においては一貫して知られてこなかった。私は、一九九六年に『原

典　社会主義経済計算論争』を編集・刊行して、その解説で、経済計算の不可欠性、分配の重要性、生産と分配の切断、情報公開の必要性、などを指摘した。そして、九八年に「〈協議経済〉の構想」を提起した。

第4節　森岡提起の核心

今度の森岡論文は、「一八七〇年代半ばから一九二〇年代初めにかけて、一群の経済学者が社会主義経済の構想を理論的に検討し」そこに「難点」があることを明らかにしていた、と書き始められている（ミーゼスなど六人の名前が列記されているが、私はほとんど読んだことはない）。その論点は、「生産手段の私的所有および利潤追求〔の〕除去」がもたらす帰結についての危惧である（後述）。

次に、ロシア革命後に経済において何が起きたのかを具体的に明らかにする。森岡氏は、革命後のロシア経済が何度も「深刻な危機に陥った」ことを直視し、その実態を生産物（消費財）の「供給者・需要者」という視点から解明する。詳しく紹介する紙幅がないし、コルナイの「不足の経済」などについての基礎的知識を欠いているので、私がもっとも教えられたことだけを一つ例示する。森岡氏は、ソ連邦の経済で「時代をこえて共通に見られた特徴であ」った消費財入手のための「行列」の意味を鋭く明らかにしている。消費財の価格が低くとも、その入手に手間と時間が多く必要とされるなら、価格が高いと同じと言える。この事象を森岡氏は「獲得をめぐる競争」と表現する。

生産物の質が低いことも重要な特徴であった。売り手の横柄な態度も同様である。これらの負の側面を、森岡氏は現象としてだけではなく、その意味を明らかにし、なぜ生じているのかを経済システムの問題として解明している。

森岡氏は、これらの負の側面を鋭角的に解明するだけではなく、ソ連邦経済の積極的側面についても明確に評価する。ソ連邦経済は前人未到の幾多の困難に抗して七四年間も存続した。その最奥の根拠は、国民を「失業の恐怖から解放し」たことにある。私は、冒頭に触れた論文で、今なおロシアでは世論調査で「スターリン時代が良い」が二二%もあることに注意を喚起した[15]が、この数字の原因は恐らく「失業の恐怖から〔の〕解放」ではないであろうか。

森岡氏は、「結論」として次の諸点を明らかにしている。

「こうして、社会主義経済では、資本主義経済に比して、雇用や労働強度の面で、労働力の売手としての労働者の立場は向上したが、商品の買手（消費財の需要者）としての労働者の立場は低下した」。

「労働者は、働くときにはより人間的な労働条件を要求するが、商品を購入するときには、企業の側からのはたらきかけを受けながら、基本的な必要をこえて、便利さ、快適さ、好みやこだわりを追求する」。これは極めて鋭い考察である。続けて「労働が人間の尊厳に適うものであるためには、労働条件の法的規制に加えて、消費者の側での欲求の一定の自制もまた必要である」と指摘する。

森岡論文は次の一句で結ばれている。

「ソ連社会主義は、品質や多様性の面での消費の豊かさを犠牲にして労働者を失業の恐怖から解放し、それによって、労働と消費の相反関係を浮き彫りにした。労働と消費は、人間生活の本質的な二側面である。資本主義の変革に関するいかなる構想も、消費における多様性・利便性・快適性をどこまで優先するか、それらの維持あるいはさらなる追求のために労働の側にどれだけの負担を課すか、という選択に向き合わなければならない」。

この鋭い指摘に正面から応えなくてはならない。

私は、次の一点については、森岡氏と意見を異にする。森岡氏は、前記の「生産手段の私的所有および利潤追求〔の〕除去」がもたらす帰結に関連して、「政治的・文化的自由は、国家が私的所有の原理を承認し、自らの介入の範囲に明示的な限界を設ける場合にのみ、内実を伴って存在できる」と書く。〈自由とは何か〉、これまた人類の永遠の問いとも言える難問であるが、「国家が私的所有の原理を承認」するというこの一句が果たして時代超越的に真理なのであろうか。前記した論点――「問題の急所は『迅速かつ効率的』という基準が歴史貫通的に普遍的なのかどうかにある」と重なる。

なお熟慮の余裕がないが、先に引用した「消費者の側での欲求の一定の自制もまた必要である」という一句をヒントに、新しい課題を一つだけ提示したい。

私は、一九九八年に提起した「〈協議経済〉の構想」において、生産物の引換えには〈協定評価〉

が絶対的に必要であり、それは「〈生産手段の内で生産物に転化されるFニーズ＋労働Aワークス〉×〈道徳的・社会的基準〉K」として得られるとした[16]（後に「社会主義の経済システム構想」では〈協議評価〉と変えた。『ソ連邦の崩壊』に収録）。詳しくはこの論文を参照してほしいが、そこに〈道徳的・社会的基準〉と明記した点に留意してほしい。このように記した時には明確に意識していたわけではないが、この〈道徳的・社会的基準〉の内実に、「欲求の一定の自制」が含まれる。ここに、経済学と道徳との接点が存在する。

翻って想起すると、資本主義についての経済学の原理論における核心点である〈労働力の商品化〉をめぐって、一九六〇年代に宇野弘蔵と梅本克己との論争で梅本が「労働力商品が人間主体から切り離すことができないという側面」を強調したこととも通底する[17]。さらにいくらか飛躍すれば、このことは〈社会主義と宗教との接点〉とも連接する（この問題については、別稿「社会主義と宗教との共振」で近く明らかにする。『フラタニティ』第八号＝二〇一七年一一月、掲載予定）。

〈注〉

(1) 大河内一男編『現代日本思想大系15』社会主義、筑摩書房、一九六三年、二一六頁。
(2) 上島武・村岡到編『レーニン　革命ロシアの光と影』社会評論社、二〇〇五年、三頁。
(3) ピエール・フランク『第四インターナショナル小史』新時代社、一九七三年、三七頁。
(4) トロツキー『裏切られた革命』現代思潮社、一九六八年、二五四頁。
(5) 村岡到「誌面批評」『ソ連邦の崩壊と社会主義』二〇一六年、七七頁。九八頁。
(6) デーヴィッド・レーン『国家社会主義の興亡』明石書店、二〇〇七年、一六頁。三三四頁。

(7) 不破哲三「赤旗」二〇一三年一一月二二日号。
(8) 村岡到『社会主義への国際的経験』稲妻社、一九八九年、一三六頁。
(9) 村岡到『ソ連邦の崩壊と社会主義』に収録。
(10) 森岡真史「マルクス主義の責任の明確化」。村岡到編『ロシア革命の再審と社会主義』一六〇頁。
(11) 武田信照『ミル・マルクス・現代』ロゴス、二〇一七年、七四頁など。
(12) プレオブラジェンスキー『新しい経済』現代思潮社、一九六七年、三五頁。
(13) 村岡到『協議型社会主義の模索』社会評論社、一九九九年、に収録。
(14) トロツキー『裏切られた革命』二四八頁。
(15) 村岡到編『ロシア革命の再審と社会主義』一一二頁。
(16) 注(13)、一〇五頁。
(17) 宇野弘蔵・梅本克己『社会科学と弁証法』岩波書店、一九七六年、一五四頁。

社会主義への政経文接近

〈社会主義への政治経済文化的接近〉として明確にすると、何が新しく分かるのか。一五文字も使うのは面倒なので、以下では〈社会主義への政経文接近〉と書く。広く伝わって欲しいからである。

第一に明らかになることは、政治あるいは政治闘争の偏重を避けるべきことである。これまで左翼運動では、前記☆のマルクスによる「まず政治権力を獲得」の考え方にしたがって、それを暴力革命によって実現するか、議会の多数派によって実現するかの大きな相違はあるものの、「政治権力の獲得」に集中・収斂させて考えてきた。前衛党を自称するにせよしないにせよ、党の活動は政治闘争に最重点を置いて、それ以外の分野や活動は、二次的三次的ないわば付録とされてきた。それゆえに、政治好きな特殊な人種として敬遠されることになった。共産党でも新左翼党派でも、社会主義への経済的接近にかかわる課題や活動は軽く扱われ、あるいは無視されてきた。労働者自主管理とか、協同組合に関心が薄く、ましてや〈利潤分配制〉などに触ることすらなかった。〈ベーシックインカム〉や「国際連帯税」についてもまったく無関心である。

第二に、第一点の裏側からの表現でもあるが、〈社会主義への経済的接近〉について深く考え、そのさまざまな通路を模索することになる。あるいは、模索する努力を自分に関係ないこととして排除したり軽視することが誤りだと気づいて十分な注意と協力をするようになる。そうすれば、これまでは軽視・無視してきた、これらの活動を展開したり、思索してきた多くの担い手を広く、手を組む相手として関係づけることになる。「戦線の拡大」といえば、理解が早いかもしれない。

第三に、文化についても同じように包摂することになる。付録ではなく、本質的に必要不可欠な分野として位置づけることが大切である。

こうして、重層的に社会主義への接近を模索・追求するようになり、そうすることによって、社会主義への水路を広げることが出来る。

ここで、共産党の年輩の党員から、「そんなことは言われなくても分かっている。わが党は文化については十分配慮してきたぞ。文学者もたくさん組織しているぞ」という反発が起きるかもしれない。そういえば、長くトップに位置していた宮本顕治は文芸評論でも著名である。あるいは、冒頭でふれたように、蔵原惟人は「文化革命」を強調していた。『宮本顕治文芸評論選集』は四巻も刊行されている（一九八〇年に完結）。中でも選集の最後に刊行された第一巻では四〇頁近い異例に長文の「あとがき」で「政治と文学」について論じていた。戦前には「プロレタリア文学」やその文学者が大きな位置を占めていた。プロレタリア文学は、戦争の激化と弾圧によって壊滅させられたが、敗戦の年一九四五年に蔵原、中野重治、宮本百合子たちを中心にして新日本文学会が結成され、その分裂後、一九六五年に日本民主主義文学同盟（民文同）が創設され、機関誌『民主文学』が現在も発行されている。このような活動の展開を背景に、あるいは表現するものとして、一九六八年に共産党は、代表的文学者で治安維持法によって虐殺された小林多喜二と宮本顕治の妻でもあった宮本百合子を記念して、「多喜二・百合子賞」を創設したほどである。文学をこえて、文化へと枠を広げれば、共産党は一九六一年末に中央委員会を発行元として『文化評論』を月刊で創刊した（後に新日本出版社が発行）。

したがって、一見すると、共産党は〈社会主義への文化的接近〉という点では合格点を受けてもよさそうである。だが、そうではない。共産党は、特に蔵原が強調した「政治の優位性」[1]なる独特の理解・理論によって、実は文学分野では大きく歪んだ関係に陥ってきた。その結果として、日本社会の変容をも背景としてはいるが、共産党系の文学運動は今日では大きく停滞している。一九八三年に起きた民文同の分裂に論及する余裕はないが、前記の多喜二・百合子賞は二〇〇五年をもって廃止された。社会に広く受け入れられる優れた文学作品が輩出されなくなったからでもある。なお、多喜二・百合子賞の創設については『日本共産党の七十年』では記述されたが[2]、『日本共産党の八十年』ではまったく触れなくなった。

私は文学分野の歴史的動向を解明する能力は有していないが、端的に示すと、政党が文学賞を出すこと自体が正しいのか否かを問わなくてはならない。「政治の優位性」（実は政党＝共産党の優位性）思考に陥っている場合には不思議と思うことはないだろうが、これは根本的誤りである。政党が文学賞を出すことは、〈社会主義への政経文接近〉のあるべき姿では断じてない。それは文学の政党への従属を意味するだけである。

〈注〉

(1) 蔵原惟人『マルクス・レーニン主義の文化論』新日本新書、一九六六年。「政治の優位性ということ」とタイトルして強調した（一三二頁以降）。蔵原とは違って、宮本顕治は一九八二年には、「政治闘争」を「階級闘争の中心」としたうえで「同時に文学とか、芸術というものも人間を豊かにする人類の伝統ある社会活動なんで、……才能ある作家や評論家がなにもそれをやめて一律に党の専従〔活動家〕になることが、政治の主導性ではない」と語った（宮本顕治『回想の人びと』新日本出版社、一九八五年、一九六頁）。

(2) 日本共産党『日本共産党の七十年』上、三八八頁。

〈追記〉本稿は既出論文の一部なので冒頭に「前記☆」とある。

政権構想探究グループへの案内

政権構想探究グループの結成総会が、二〇一九年一一月二四日に都内で開かれ、代表と事務局長を決めました。

このグループは、〈政権構想〉を探究することを目的とします。結成を呼びかける案内では「革新連合の政権構想の骨子」と「私たちの独自の主張」が提示されています（季刊『フラタニティ』第一七号に掲載）。

年に三、四度討論会を開催しますので、積極的に参加するよう呼びかけます。

緩やかな会なので、会費は徴収せずに、カンパで運営します。会則も会員が一〇〇人になったら決めますが、良識に拠って運営します。

本会の呼びかけ文は、季刊『フラタニティ』第一六号：二〇一九年一一月、に掲載。

☆カンパ入金先：活憲の会　郵便振込００１４０・９・４２０３４９

運営事務局（呼びかけ人）

大内秀明　仙台・羅須地人協会代表
紅林　進（事務局長）　フリーライター
桜井善行　定時制高校非常勤講師
佐藤和之　佼成学園高校教師
中瀬勝義　お江戸舟遊びの会
西川伸一　明治大学教授
平岡　厚　元杏林大学准教授
松本直次　ヤマギシ会東京案内所
平山　昇　仙台・羅須地人協会東京支部代表
村岡　到（代表）　季刊『フラタニティ』編集長
吉田万三　元東京都足立区長

Ⅲ　日本共産党への批判と期待

日本共産党を批判する前提と目的

私は、一九七八年に第四インターの「世界革命」編集部で活動していた時に〈日本共産党との対話〉を提起していらい一貫して共産党の動向を注視し、論評している。当初から〈内在的批判〉と明示していたが、ここで共産党を批判する前提と目的を再確認したい。

そのためには、共産党が日本の政治において如何なる位置を占め、役割を果たしているかについて客観的に正確に認識しなくてはならない。党員の誰かによって嫌な目にあったとか、共産党の指導者の誰かが何かの間違いを犯したなどという「個人的体験」を理由にして共産党を批判・非難することにはほとんど意味はない。

第1節　日本政治おける日本共産党の位置

共産党は、一九二二年に非合法下で創設され、治安維持法によって過酷な弾圧を加えられ、死を賭した活動によって生き延びてきた。戦後の共産党を主導した宮本顕治が『わが文学運動論』で引用しているように、鶴見俊輔が『現代日本の思想』で暗夜に輝く「北斗七星」に譬えた。(1) 鶴見は「私たちは思想を大切なものと思うかぎり、日本共産党の誠実さに学びたい」と書いた。

現在、共産党は国会議員を衆議院に一二名、参議院に一四名を有する野党である。野党第一党の立憲民主党は衆院では国民民主党と共同会派で一二〇名、参院では両党で四七名、社民党は衆参合わせてわずか四名（得票率二％で政党要件をかろうじて保持）。そしてこれらの野党共闘を推進する先頭に立って活動している。地方自治体の議員は全国で約二六〇〇名（二〇〇〇年の第二二回党大会では四四五五人だった）。日刊紙を刊行している政党は共産党と公明党だけである。国会での目覚ましい活動としては、昨年一一月に参議院で田村智子副委員長が、安倍晋三首相による「桜を見る会」の私物化を追求する火ぶたを切った例をあげることが出来る。

共産党の「党勢」――この独特の用語でいうと、党員が二七万人。機関紙「赤旗」の日刊紙と日曜版を合わせて一〇〇万人。最近は電子版も出来たが、その数は発表されていない。この「党勢」が近年、大きく後退している。その実情は別に明らかにした（本書、一五二頁、参照）ので、ここでは、本稿執筆途中の志位和夫委員長の発言だけを紹介する。志位氏は、三月二日に開かれた全国都道府県組織部長会議で次のように明らかにした。(2)

「党員拡大についていては、〔一月中旬の〕党大会第二決議で〝緊急で死活的〟という言葉を使っています。〝死活的〟というのは、党が生きるか死ぬかの問題だということです」。

「私自身も率直に言って、今年の『党旗びらき』のあいさつで……『党員現勢ではこれだけ減りました』ということを率直に伝えていません」。

「数えてみたら、一年四カ月も連続後退が続いていたというのが現状であります」！

驚くべき告白と言わなくてはならない。「数えてみたら」とはどういうことか。また、すぐに気づくことがある。「今年の『党旗びらき』」は何時おこなわれたのか。その後に党大会が開催されたのだから、党大会のほうを重視する必要がある。党大会で「〝緊急で死活的〟」と言いながら、「数えて」いなかったのか！　また、「率直に伝えていません」と言いながら、ここでも具体的数値は何一つ明らかにしていない。この発言の見出しには「3月から毎月『党勢現勢で前進』に転じよう――惰性を吹っ切って」と付いているが、これでは「惰性を吹っ切」ることは出来ないであろう。

国会での現在の位置については前記の通りであるが、ごく簡単に一九四五年の敗戦後の政治史を振り返ると、非合法の存在であった共産党が合法化され、左右に分かれていた社会党が五五年に統合され、国会で三分の一を占める勢力となり、六〇年安保闘争を前後して新左翼運動が起きた。六〇年安保闘争では、共産党は、社会党と総評が中心の安保改定阻止国民会議で「オブザーバー」の位置に甘んじていた。

新左翼諸党派は「社共に代わる前衛党を」と主張していたが、七〇年代には衰退した。九一年末のソ連邦崩壊の後、社会党は九六年に解体して、社民党に改組され、大きく衰退した。

このような左翼の浮沈の中で、共産党はソ連邦や中国からの不当な干渉を跳ね除けて党勢を保持している。党勢のピークは、党員では九〇年に五〇万人近く、「赤旗」は八〇年に三五五万人を数えた。

ピーク時と比べるとかなり後退しているが、ともかく全ての都道府県に党の事務所を設置し、骨格を保持して前記のように活動している。社会党の解体と新左翼の衰退と対比すれば、共産党がこのように活動していることは、プラスに評価しなくてはならない。

さらにしっかりと認識しなくてはならないことがある。日本の政治風土の特徴を深く理解する必要がある。いつも私が確認しているように、遅れて近代化した日本では、「我邦においては古来、人民に権利があるなどということは夢にも見ることがなかった」[3]――町人は斬り捨て御免だった徳川時代を二五〇年も重ねてきた日本、全面的というわけではなかったが「鎖国」してきた日本では、一九世紀後半、明治維新（一八六八年）の後でもこれが知識ある者の常識だった。そして、一九四五年の敗戦による、天皇制から「戦後民主主義」への転換も下からの国民（市民）の主体的行動によってではなく、アメリカ占領軍の主導によるもので、民主政が根付くことはなかった。このことについては、孫崎享氏が近刊の『日本国の正体』で、敗戦直後にマーク・ゲインが一九五一年に『ニッポン日記』（下）に次のように書いていたことに光を当てている。

「この国は依然として封建国家で、古い構造が打破されない限り、ここにデモクラシーが成長する望みはない」[4]。

そして上意下達と忖度政治が今もなお続いている。そのような政治風土のなかで、国家権力による弾圧も加わり、左翼運動は過剰な対立・抗争と自己防衛・他者非難の悪弊に落ちこむことになった。この問題は別稿で取り上げた（本書、二一二頁）。

そのような政治風土の中で、なぜ、共産党だけが持続的に活動することが出来ているのか。その根拠は、次の五つの要点を程度の濃淡はあるだろうが、保持して活動する人が多数結集しているからであろう。

1　真剣に生きることを、自らの信条にする。
2　日本社会の変革をめざす。
3　民主政（民主主義）を尊重する。
4　その変革のためには（前衛）党が不可欠であると意識する。
5　社会主義を志向する意識を保持する。

このようにして組織されているがゆえに、共産党は前記のような位置を確保して活動している。党員の所得分布は公表されてはいないが、恐らく最低ではないであろうが低所得者が多いと思われる。真面目な生活者・労働者が支えているに違いない。

もし、共産党が解体したらどうなるかと少しでも想像したら、その存在価値と役割の大きさがはっきりする。

一九九六年の社会党の解体よりも大きな影響を日本の政治に引き起こす。社会党が解体しても、その左で共産党が活動していた。だが、共産党が解体したら、取って代わる政党はどこにも存在しない。日本の政治は一挙に右にシフトして、憲法改悪も現実のものとなるであろう。「赤旗」が毎日報道している海外のニュースが無くなれば、マスコミのバイアスの掛かったニュースだけになる。

人間の社会が存続する限り、家族や地域での小さな範囲での善意の営為が消滅することはないだろうが、それらを結集・集中して一国の社会・政治を変えようとする意識は根絶やしとなり、さまざまな市民活動にも大きな打撃となることは間違いない。

色いろな批判が可能であったにしても「赤旗」の報道は有益である。前記のように、志位氏は「生きるか、死ぬか」とまで極言しているが、何としてもその刊行は保持されるべきである。「赤旗」刊行保持支援グループを創設する必要もあるだろう。

第2節　「世代的継承」を困難にする要因

共産党は近年、党員の「世代的継承」がうまく進んでいないと党大会の度に確認している。党員としての活動年数別にどのくらいの党員が存在するのかという数値は、党中央では把握しているのであろうが、公表はされていない。党の幹部を育てることは、どんな政党でも難儀であろうが、他の政党に比べれば理論を重視していると思われる共産党の場合には、党が主張する理論の中身がより重要な意味を持っているに違いない。その点に視点を据えて観察すると気づくことがある。余りに多くの「理論」や用語が浮かんでは消えてしまった。前著『共産党、政党助成金を活かし飛躍を』の「第5章　日本共産党の理論的混迷と後退」の「第2節　廃語の数々と禁句」で、「細胞」「民主主義的中央集権制」「前衛部隊」「一国一前衛党」「二つの敵」「日本の独占資本」「敵の出方」「人民的な議会主義」「平和擁護」「マルクス・レーニン主義」「(世界)資本主義の全般的危機」「プロレタリアート執権」「革新三目標」「社会主義革命」「社会主義的な計画経済」「シャミン(社民)」「トロ」「ニセ『左翼』暴力集団」「生存の自由」「社会主義生成期」「社会主義陣営」を取り上げて説明した。それらのいくつかについて再説しよう。↑↓〈○○〉は村岡の主張。

- ソ連邦、中国は「平和勢力」↑↓〈党主指令経済〉/「社会主義陣営」/「社会主義生成期」論(5)
- 「平和擁護」↑↓〈平和の創造〉
- 「資本主義の全般的危機」論
- 「民主集中制」↑↓〈多数尊重制〉/「一国一前衛党」論↑↓〈複数前衛党〉
- 「教師=聖職」論/「自治体労働者=全体の奉仕者」論
- 「シャミン」/「トロ」/「ニセ左翼暴力集団」
- 「原子力の平和利用」↑↓〈脱原発〉
- 「大企業の民主的規制」/「大企業との共存」
- 「民主連合政府」/「敵の出方」論↑↓〈則法革命〉
- 「自共対決」
- 「生存の自由」↑↓〈生存権〉

これらの用語はどれも或る時期にはきわめて重要な認識を表現する党独自の、他の党派との区別を強調するキーワードとして主張されていた。今では完全に廃語となったものもあるし、まだたまには使われる例もある（「民主集中制」は党の規約には書かれているが、「赤旗」ではほとんど見たことがない）。説明をした上でお蔵入りした例もある（「資本主義の全般的危機」論や「社会主義生成期」論）。なし崩しに使用を止めたりする例も少なくない（「原子力の平和利用」は「原発ゼロ」へ、「自共対決」は「野党共闘」へ）。「社会主義陣営」と関わる中国評価の変更については、別稿で取り上げた（本書、一六九頁）。

一九六一年の党綱領から数えて六〇年近くの年月が経過したとはいえ、これほど多くの重要だったはずのキーワードが作られてはやがて廃語になるようだと、認識を継承することが困難となる。つまり、「世代的継承」を殺ぐことになる。

また、次の事例は記憶に値いする。一九五六年のハンガリー事件についての評価について、事件当時は「社会主義陣営」という認識だったので、ソ連邦の軍事介入を支持していたが、三二年後の八八年に初めてその態度を誤りだと反省した。しかし、このビックリするほどの遅れを『日本共産党の七十年』では「過去の誤りをすすんで是正する誠実さ」[6]と強弁した。見苦しいと評するほかない。

この無様な言い訳とは対照的な事例が、今年の党大会で起きた。大会の目玉の一つジェンダー問題について、一九七〇年代の認識――「同性愛を性的退廃の一形態」とする――が「間違いであった」と、志位氏が「結語」で明言した[7]。この志位氏の反省に対して、大会では代議員が「大きな拍手」で応えた。代議員は志位氏のいわばいさぎよい姿勢を肯定的に受け止めたのである。この姿勢を貫くことを期待したい。

第3節　開かれた対話を——共産党の活路

前節で簡単に明らかにしたように、共産党は理論的には多くの誤りを重ねてきた。だが、繰り返して確認するが、左翼では共産党だけがその骨格を保持して自民党と対決している。

私が共産党を批判する目的は、第一に日本社会を社会主義に向けて変革するためである。第二に、共産党をそのための主導的な党へと改良することを促すためである。

この二つの目的を実現するためには、共産党の内外からの努力が必要であり、その一端を担うことが出来れば良い。前節で一言だけ触れたように、私は〈複数前衛党〉を主張しているので、共産党とは別の前衛党が結成され活動する可能性を否定はしないが、一九六〇年の安保闘争から六〇年を経て、その現実性はほとんど無いと考えるようになった。そうであれば、共産党の改良を期待するほうが現実的であろう。だから、昨年一一月にスタートした「政権構想探究グループ」の「私たちの独自の主張」に、「日本共産党を批判的に支持する」と明記した。

私は、今こそ、〈共産党との開かれた対話〉を実現しなくてはならないと希望し、そう呼びかける。その可能性はあるのか？　存在すると確信する。その基礎には、前記の共通土台を据える必要がある。共に社会主義を志向し、法律に則った変革を展望することである。この点で、社会主義を志向し、〈則法革命〉を主張する私たちは、対話の試みをいつも追求している。本稿もその一つである。

志位氏は、二〇一六年年頭に中野晃一氏との対談で「リスペクト」を学び、以後「リスペクト」を口にするようになった。「他者のリスペクト」を徹底すれば、他者との対話へと発展するだろう。

最後になったが、共産党と私との関係について記すと、私が一九八〇年に創成した「政治グループ稲妻」は、共産党が刊行していた『政治経済総覧（前衛臨時増刊）』（中央委員会出版局、一九八二年版）の「ニセ『左翼』暴力集団組織系統図」に記され、八六年版では「巧妙な反共主義」と説明され、九六年版（この後は刊行されていない）でも同じレッテルで書かれた。

また、小さな私ごとに過ぎないが、私は二〇〇六年に副委員長の上田耕一郎さんから年賀状を頂き、同年二月には共産党の役員退任のあいさつが届いた。年賀状には「実にエネルギッシュな活動ぶりですね」と一筆してあった。(8) それ以上のことには発展しなかったが、私はそこには大きな可能性が秘められていると思いたい。共産党の中で、党中央の路線に疑問や批判的見解をいだく党員が、一歩前に踏み出すことを、私は強く切望する。

〈注〉

(1) 久野収、鶴見俊輔『現代日本の思想』岩波新書、一九五六年、五四頁。七〇頁。
宮本顕治は『現代日本の思想』から次の一文を引いていた。
「すべての陣営が、大勢に順応して、右に左に移動してあるく中で、日本共産党だけは、創立以来、動かぬ一点を守りつづけてきた。それは北斗七星のように、それを見ることによって、自分がどのていど時勢にながされたか、自分がどれほど駄目な人間になってしまったかを計ることのできる尺度として、一九二六年（昭和五年）から一九四五年（昭和二〇年）まで、日本の知識人によって用いられてきた」（宮本顕治『わが文学運動論』新日本出版社、一九八三年、一五七頁）。村岡到『日本共産党どう理解したら良いか』二〇一五年、一〇頁～一二頁、参照。

(2) 志位和夫「全国都道府県組織部長会議での発言」：「赤旗」二〇二〇年三月六日。

(3) 平野義太郎論文：長谷川正安・藤田勇編『文献研究・マルクス主義法学〔戦前〕』日本評論社、一九七二年、六四頁。村岡到『連帯社会主義への政治理論』五月書房、二〇〇一年、一三六頁で論及。

(4) 孫崎享『日本国の正体』毎日新聞出版、二〇一九年、三一四頁。

(5) 「社会主義生成期」論については、繰り返し批判してきた。本書、七八頁に記した拙著、参照。

(6) 『日本共産党の七十年』上、新日本出版社、一九八三年、二六五頁。：村岡到『不破哲三と日本共産党』二〇一五年、一六〇頁～一六一頁、参照。

(7) 志位和夫「第二八回党大会結語」：「赤旗」二〇二〇年一月二〇日。

(8) 村岡到『友愛社会をめざす』二〇一三年、一八二頁。『日本共産党をどう理解したら良いか』二〇一五年、一〇〇頁。

〈追記〉「赤旗」は一六頁で発行されていたが、四月二六日から一二頁に減頁することになった。四月七日に「赤旗編集部」は一四頁に減頁すると告知していた。定価は据え置きであり、二五％の値上げとなるが、それには触れない。五月一八日の「赤旗」一面左トップに赤旗編集局長と日曜版編集長の連名で「コロナ禍は、『しんぶん赤旗』の継続的な発行にとっても、大きな困難をもたらしている」として読者の協力を懇願する異例の訴えが掲載された。

日本共産党綱領の根本的弱点

日本共産党は、昨年（二〇一九年）一一月四、五日に開いた第八回中央委員会総会で「党綱領一部改定案」を決定した。この改定案では、国際情勢について従来の認識を一変するとも言える変更を加え、日本の将来の展望についても書き加えた。第二八回党大会は一月一四日から開催する。現在の日本の政党のなかで、国際情勢から将来への展望について、これほどの内容を提示・公開している政党は存在していない。日本を「資本主義国」ととらえ、「資本主義を乗り越え」る未来について「社会主義」を多用していることは特筆に値いする。

第1節　「資本主義」認識の曖昧さ

この節では、八中総で決定された共産党の「党綱領一部改定案」（以下、綱領とする）では、共産党が存在し活動する日本社会をどのように認識するのかというもっとも肝心な問題が実は曖昧で不明確であることを明らかにする。

綱領では、第一章「戦前の日本社会と日本共産党」に続く、第二章「現在の日本社会の特質」の最初の節（第四節）で、日本を「独占資本主義国の一つ」と規定し、第五節冒頭では「わが国は、高度に発達した資本主義国」とし、第六節冒頭では「日本独占資本主義は、」〔A〕と主語にしている。この節では「日本独占資本主義」を続いて三回使っている。第四節冒頭で「アメリカへの事実上の従属国の立場になった」と明記し、第五節でも同じ文言を繰り返し、「異常な国家的な対米従属の状態にある」と強調し、第六節冒頭は〔A〕の述語として「対米従属的な国家独占資本主義として発展し」たと書く。

第六節では、「その〔日本独占資本主義の〕中心をなす少数の大企業は、」として「巨大化と多国籍企業化」を指摘し、「自分たちの階級的利益の実現」と書き、そこに「大企業・財界」が登場する。その後で、初めて「労働者」が出てきて、「違法の搾取方式までが常態化している」と指摘する。そして「大企業を中心とする利潤第一の生産と開発の政策」を批判する。

「対米従属」を強調するこの認識については、一九六〇年代からいわゆる「二つの敵」論（日本独占資本とアメリカを敵とする）の是非として大きな論争になっていた。九四年の綱領改定で使われなくなった「二つの敵」と表現することが適切であったか否かは別にして、新左翼党派が「日本帝国主義」を強調する余り、「対米従属」を軽視したのは明らかに誤りであったと、私は反省する（また、本稿では、「日本帝国主義」が適切か、「日本独占資本主義」が適切か、という論争点には踏み込まない）。

他方、今や全国知事会が日米地位協定の抜本的な見直しを日米両政府に提言した（二〇一八年八月一四日）なかで、綱領が日米地位協定に触れないのは重大な欠落である。この重大な動向は、同年八月八日に亡くなった翁長雄志・沖縄県知事による「基地問題は一都道府県の問題ではない」との訴えを受け、二年近くかけて提言にまとめ、七月の全国知事会議で全会一致で初めて採択したものである。

このことをはっきりさせた上で、さきに略記した綱領の認識には原理論レベルで大きな問題、あえていえば弱点が潜んでいる、と私は考える。

マルクスやマルクス主義に親しみ、それらを基本的に正しい教えだと思っている場合には、資本主義の説明に際して「賃労働と資本の対立」とか、「資本家」や「資本家階級」は不可欠のキーワードとして知っているに違いない。さらには「歴史は階級闘争の歴史である」（『共産党宣言』冒頭）を「階級支配」と合わせて印象深く記憶しているであろう。

ところが、前記の綱領の引用にはこれらのキーワードはどれも書かれていない！　私が引用に際して落としたのではなく、原文に無いのである。別論したように、私は二〇〇一年から「階級闘争」思考を止めたほうがよいと提起し、共産党綱領のこの欠落についても、二〇一〇年に「『階級闘争』の呪縛からの解放を」でとりあげた(1)。

もう一つ注意すべきことがある。「資本家」、「資本家階級」、「階級闘争」、「階級支配」、「支配階級」の不使用は、実は一九六一年綱領からのことである。この六一年綱領が、五〇年の党分裂を修復した五五年の「六全協」後の、今日に続く出発点となった（敗戦の年一九四五年一二月の第四回大会での「行動綱領」では、「勤労大衆」とともに「労働者」も頻回に登場し、「資本家」も〝敵〟として扱われていた(2)。

共産党はなぜ「資本家」や「資本家階級」などを使わなかったのであろうか。類似の単語を一九六一年綱領で探すと、「独占資本」、「独占体」、「支配層」がある(「独占体」は現在では廃語)。さらに「中小企業家」を多用していたことに気づく。六一年綱領では「中小企業家の要求を支持してたたかう」とまで書いてあった。「中小企業家」は、味方を表現する文脈では「労働者、農民の同盟を基礎とし、そのまわりに勤労市民、知識人、婦人、青年、学生、中小企業家」と最後に列記されていた(今では「労働者、農民の同盟」とは書かなくなり、「労働者、勤労市民、農漁民、中小企業家、知識人、女性、青年、学生など」の順となっている)。なお、近年「赤旗」には「市民と野党の共闘」が頻出するが、「市民」は無い。他方、「労働者階級」は頻回に強調されていた。当時は「労働者階級の権力」や「プロレタリアート独裁の確立」を目指していたからである。綱領冒頭には「日本共産党は……日本労働者階級の前衛によって創立された」と明記されていた(現在は「……科学的社会主義を理論的な基礎とする政党として、創立された」とだけ書かれている。「労働者階級」は二回だけ出てくる)。改めて言うまでもないが、「中小企業家」はマルクスの『共産党宣言』にも『資本論』にも書かれていない。

これだけ明らかにすれば、共産党がなぜ「資本家」などを使わなかったのか、理解できるであろう。そして同時にその不徹底さについても推察できる。戦前一九二二年の創成いらい、共産党は労働者だけではなく、中小企業の資本家も数多く組織し、その戦列を築き上げてきた。四五年の敗戦直後には没落・疲弊した資本家も日本の再建のために苦闘した。共産党がそれらの人びとと手を組むことができたのは、欠点ではなく優れた特質として理解しなくてはならない。そうであるが故に、共産党は「資本家」と表現することを避けて、逆に前記のように「中小企業家の要求を支持してたたかう」とまで書いたのであろう。だが、同時に「資本家階級」、「階級闘争」、「階級支配」まで書けなくなってしまった。他方、「労働者階級の権力」や「プロレタリアート独裁の確立」とは書いていた。しかし、一九八五年の綱領改定では、この二つの用語も捨てることになった。だが、前記のように、現在でも「労働者階級」だけは二回使われている。「だが」や「しかし」を重ねる汚い文章になったのは、取り上げる対象のせいである。

細かい推論を省くと、「資本家」を使わなかったことは先駆的とすらプラスに評価できるが、今なお「労働者階級」と書かざるをえないところに、共産党の思考の不徹底・曖昧さが残されている。そのことに論点を移すまえに、為すべきことがある。

「資本家」用語の不使用が何をもたらすことに繋がったのか。そこに重大な落とし穴が潜んでいた。「資本家」と書けなくなったので、「賃労働・資本」関係に言及できなくなってしまった。そのために、資本制経済をどのようなものとして認識するのかという核心が不明となった。「賃労働・資本」関係を欠落させて、第六節と第一六節で「利潤第一」と一言ふれているだけである。そして、「資本主義の矛盾」については、わずかに、第一〇節で、「巨大に発達した生産力を制御できないという資本主義の矛盾は、現在、広範な人民諸階層の状態の悪化、貧富の格差の拡大、くりかえす不況と大量失業……」として記述されるだけである。それらの根底に「賃労働・資本」関係が貫かれていることを見落とすことになったのである。

また、この問題は、共産党は「国民政党」か「階級政党」かという議論とも重なっていた。二〇〇四年九月に「赤旗」にこんな問答が掲載された（九月二日。ホームページにある）。問いは、「日本共産党規約（二〇〇〇年の第二二回党大会で決定）に党の性格を〝「労働者階級の党」であると同時に「日本国民の党」である〟と書いていますが、どういう意味ですか」と立てられ、答えの結論は、「旧社会党などで問題になってきた論点でしたが、私たちの立場は、これは元々、どちらをとるかという対立的な概念でないという考えです」というものであった。文中には、「労働者階級はすでに人口の8割」などとも説明してあるが、まったく不十分な答である。そんなことよりも「労働者階級の前衛」や「労働者階級の指導」や「労働者階級の権力」と結びついていることに意味があったはずである。この三つの言葉とセットになっていたからこそ、「労働者階級の党」とされていたのである。

さらに不思議なのは、八カ月前、この年一月に第二三回党大会が開かれ、綱領は大改定されていたのであるが、そこには前記の三点セットは全て消え失せ、「国民政党」とも「階級政党」とも書かれていない（だが、「労働者階級」は登場する）。規約と綱領の中身が違っているのである。

前記の三点セットは死語となったが、今なお「労働者階級」と書かざるをえないところに、共産党の思考の不徹底・曖昧さが残されている。「労働者階級の権力」とは書けなくなったことの意味をさらに深く考えるべきだったのである。共産党はその意味を探ろうとはしないから、私たちが考察するほかない。

〈労働〉は、今日なお人間が生存し、生活を営む根本的前提であり、土台をなしている。その〈労働〉の主要な部分が賃金を得るための手段として、別言すれば〈労働力の商品化〉を通して実現されているところに、〈資本制経済〉の特徴・核心がある。〈労働力の商品化〉は、土地と生産手段が資本家によって私的に所有されているから生じる。何をどれだけ生産するか、そこには価値法則が貫かれている。そこには、利潤追求を動機・目的とする資本の論理が貫かれている。このことを明らかにしたところに、マルクスと『資本論』の真髄があり、それは今日なお有効な認識の拠点である。

確かに、〈賃労働・資本〉関係においては、資本家は優位に立ち、労働者は劣位に置かれる。そのゆえに、マルクス主義では、劣位にある労働者は、この〈賃労働・資本〉関係を批判し、廃絶することを望むはずだと思われてきた。だが、現実には資本制経済が成立して数百年も経つのに、残念ながらそうなってはいない。労働者の多くが資本主義の現状を肯定している。逆に、資本家のなかからも〈賃労働・資本〉関係を廃絶することに共鳴する人が現れている。なぜそうなっているのかについて、深い考察が求められている。

人間の社会は、経済が土台であることは動かしがたい事実ではあるが、資本制経済ではその原理＝〈賃労働・資本〉関係がストレートに現実化されるのではなく、複雑に絡み合っている（その一端は「企業福祉(3)」として現れる）。そして、政治もまた複雑な歴史と現実によって成り立っている。

そうであるが故に、労働者はこの原理的関係をすぐに認識するわけではない。別言すれば、「労働者＝味方vs資本家＝敵」という安易な思い込みが誤っていることを示している。だから、マルクスの時代から一七〇年以上も経っても、いく度かの大きな危機に見舞われながらも資本主義が継続しているのである。

確かにマルクスの時代に、虐げられた労働者の人間としての権理を提起し、要求し、労働組合を結成し、その中軸に「労働者の団結」を据えたことは、貴重で重要な努力であった。その意義をいささかも軽んじてはならない。この崇高な努力は、国家権力の残虐非道な弾圧と迫害に抗して貫かれてきたのである。だが、同時にそこには重大な錯誤が伴っていた。「労働者＝味方vs資本家＝敵」という安易な思い込みである。

正しくは、〈賃労働・資本〉関係を明確にしたうえで、「労働者と資本家」と実体化して捉えることを止めることが活路なのである。なお付言すれば、〈賃労働・資本〉関係を廃絶することは、労働者を解放するだけではなく、資本家も解放されることを意味している。

「労働者階級」なる慣用句も捨てなくてはいけない。「階級」概念が不明確であることについては、治安維持法が制定された一九二五年に、日本マルクス主義法学の創始者である平野義太郎が「法律における階級闘争」で「『階級』という語の意味は必ずしも明確ではない」と指摘していた。(4) 前記の「赤旗」の問答では、「労働者階級はすでに人口の8割」などと書いているが、なぜ「階級」と二文字加える必要があるのか、何の説明もない。

さらに大きな問題がある。

前記の「階級闘争史観」から脱却することは、目指すべき革命の実現形態に直結する。従来は、マルクスによる「近代的国家権力は、全ブルジョア階級の共通の事務を司る委員会にすぎない」（『共産党宣言』）を継承し、さらに「国家は階級対立の非和解性の産物である」（『国家と革命』）とするレーニンによって、「暴力革命」が主張され、新左翼諸党派はこの教条を信奉してきた。この主張を批判・反対する人たちは「平和革命」を対置したり、「構造改革」を唱えた。共産党は「敵の出方」論なる折衷的な主張だった。不破氏は、二〇〇〇年にも「いま私たちが党の綱領でとっている『敵の出方』論と、ほぼ同じことをマルクス、エンゲルスは主張していた」と書いていた。(5)「ほぼ同じ」とは見苦しい。

このような状況のなかで、私は、二〇〇一年に〈則法革命〉を提起した。「階級支配」ではなく、「法の下での平等」を基軸とする民主政の下では、暴力によってではなく、読んで字のごとく、法と法律に則った革命を実現することが出来るし、目指すべきなのである。「平和革命」よりもヨリ本質的な表現である。

その三年後に、共産党は綱領を大改定した際に、第二章「現在の日本社会の特質」の第四節に「第二は、日本の政治制度における、天皇絶対の専制政治から、主権在民を原則とする民主政治への変化である」と認識を一変させ、「この変化によって、日本の政治史上はじめて、国民の多数の意思にもとづき、国会を通じて、社会の進歩と変革を進めるという道すじが、制度面で準備されることになった」と書き加えた。「制度面で準備」もいささか不釣り合いであるが、「国会を通じて」ということだから、「法と法律に則」るということである。私が提起した〈則法革命〉と同じである（ついでながら、同時にそれまでは「生存の自由」なる不自由な用語を使っていたが、私の批判を受け止めたのか、この言葉を綱領から削除した。だが、憲法第二五条に謳われている「生存権」とも書かなかった）。

そうであれば、この一文節に直結して、マルクス以来の「階級闘争史観」を誤りとして切開し明確に（自己）批判すべきだったのである。先に後述するとした「共産党の思考の不徹底・曖昧さ」とは、このことである。

もう一つ、重要な問題がある。この巨大な社会変革＝革命の主体をどのように設定するかという問題である。共産党も認めるようになった「民主政治」（〈民主政〉のほうが正確）においては、政治の主体は平等な権理を有する〈市民〉である。従って〈則法革命〉の主体は、この〈市民〉である。前記のように。綱領には「勤労市民」は登場するが、「市民」が一度も書かれていないのは、重大な欠落である。近年の「市民と野党の共闘」とも不整合である。このことをはっきりさせた上で、職業区分としては、多数を占める〈労働者〉が社会全体の生産における大きな位置を占めているがゆえに、他の諸階層と比べて重要な役割を果たすと捉えるべきである。

第2節　「社会主義・共産主義の社会」の曖昧さ

この節では、「党綱領の一部改定案」の第五章「社会主義・共産主義の社会をめざして」を取り上げる。

結論を先に示すが、問題は、この章のタイトルにある「社会主義・共産主義の社会」なるものがまったく曖昧で不明なのである。

この章の初めは第一六節で、次のように書いてある。「日本の社会発展の次の段階では、資本主義を乗り越え、社会主義・共産主義の社会への前進をはかる社会主義的変革が、課題となる」。

まず、なぜ、この「巨大な」と形容すべき社会のあり方の根本的変化を「社会主義革命」と言わずに「社会主義的変革」と書かなくてはならないのか。この章では、「社会主義的変革」が五回も出てくる〈前の四つの章には無し〉。共産党が〈社会主義革命〉の六文字を知らないはずはない。綱領の第一章第一節の終わりに「社会主義革命に進む」〔A〉と書いてある。ただし、この一句は「という方針のもとに活動した」と結ばれている。つまり、戦前の活動についての記述である。もう一度だけ第一二節の初めに、「現在、日本社会が必要としている変革は、社会主義革命ではなく」〔B〉として否定的文脈で登場する。日本についてではないが、「ロシアで十月社会主義革命」とも書いてある。

なお、志位和夫委員長は二〇一四年末の総選挙の時に、記者の質問に対して「綱領には『社会主義革命』という言葉はないんです。『社会主義的変革』という言葉」ですと〝注意〟した。呆れた失言だが、指摘する人はいないようである〈本書、一八一頁、参照〉。

「社会主義革命」のいわば対句は「民主主義革命」であるが、この六文字は前記の〔A〕の前と第四章のタイトル「民主主義革命と民主連合政府」とその第一二節に書かれている。前記の〔B〕に直続して「異常な対米従属と大企業・財界の横暴な支配の打破――日本の真の独立の確保と政治・経済・社会の民主主義的な改革の実現を内容とする民主主義革命である。それらは、資本主義の枠内で可能な民主的改革である」と書いてある。

すぐに浮かぶ疑問は、「資本主義の枠内で可能な民主的改革」を「民主主義革命」と書くのに、「資本主義を乗り越え」る大変革はなぜ「社会主義的変革」なのか? 普通には、「改革」→「変革」→「革命」と理解されるが、共産党では「改革」＝「革命」となるのか。「民主主義的改革」と「社会主義的変革」と区別しているが、どちらがヨリ大きな変化なのか。

不破氏は、前回の綱領改定について、大会前の第七回中央委員会総会で「社会主義革命への転化の角度からの特徴づけをなくした」と説明し、「連続革命論的な誤解を残すような表現は、すべて取り除き」とまで強調した(6)。そのことと「社会主義的変革」とはどのように整合するのか?

そしてさらに大きな問題は、第五章のタイトルとなっている「社会主義・共産主義の社会」なるものが何かが不明である。ここでは、「社会主義・共産主義への前進」とか「社会主義をめざす権力」、「社会主義への前進」、「日本における社会主義への道」、「社会主義に進む」、「社会主義・共産主義への大道」とも書いてある(「大道」については、別稿参照。本書、一七九頁)。

そもそもこの新語「社会主義・共産主義の社会」は、不破氏が主導した二〇〇四年の綱領改定で発案された。「急行・特急」では急行なのか、特急なのか不明なように、何のことか意味不明である。それまでは、資本主義社会の次の「社会主義社会は共産主義社会の第一段階」（六一年綱領）とされていた。この新語は発案者の不破氏すら二〇一四年に「日本・ベトナム理論交流」の場で「いちいち両方は言いません。舌をかみますから」と言い訳が必要であった（「不破哲三氏への質問」で詳述(7)）。

「天皇の制度」の部分に出てくる「民主共和制」との関係も不明である。これは後述の「人民共和国」の名残か。

このような曖昧でかつ自分たち以外には使用例のないジャルゴンはその使用を止めなくてはならない。私たちは、一貫して未来の展望については〈社会主義〉として探究している。その次が「共産主義」なのか否かについては、まさに「国民の総意によって解決されるべきもの」（後述）であろう。「歴史の必然性(8)」なる呪文は共産党も廃棄したようである。

第三の問題は、問題の「社会主義的変革」の内実について、「生産手段の社会化」だけを六回も強調しているだけで、「計画性と市場経済とを結合」と一度だけ書いてあるが、きわめて不十分である。「生産手段の社会化」を強調しながら、〈労働力の商品化〉には触れない。幾たびかの「改定」がその不確定さを示している。六一年綱領では「社会主義的な計画経済」とされ、九四年の綱領改定で「計画経済と市場経済の結合」となり、二〇〇四年の綱領改定で「計画性と市場経済とを結合」と書き換えられた。「市場経済」はマルクス経済学の術語には存在せず、禁句とされてきたが、九四年に、「資本制経済」との区別についての説明はしないで、密輸入された。他方、「計画経済」はこっそりと「計画性」に変えられた（私は一九九七年に「『計画経済』の設定は誤り」を発表した[9]）。国際情勢について、中国の変質を強調することになったが、その「変質」の決定的バネは「市場経済」なるものの導入にあったことを直視すべきである。

綱領改定案には「政権構想」の四文字は書かれていないが、ぜひとも明記し、綱領とは別に共産党としての「政権構想」を明示すべきである。大会での「第一決議」では三回書かれた。その内実を埋めることこそが求められる。私たちは、経済政策の一環として、〈利潤分配制[10]〉と〈生存権所得[11]＝ベーシックインカム〉を提起している。

また、近年、志位氏は未来社会について「自由時間の拡大」を強調しているが、綱領には「自由」は一四回も出てくるが、「自由時間」はまったく書かれていない。綱領では「真に平等で自由な人間関係からなる共同社会」〔C〕と書いてあるが、さらにそこでは欠落している〈友愛〉を社会の基礎として位置付けるべきである。

なお、第一六節では「国家権力そのものが不必要になる社会……〔C〕への本格的な展望が開かれる」と書かれている。「天皇の制度」については、第一〇節で「その存廃は、将来、情勢が熟したときに、国民の総意によって解決されるべきものである」としていることと不整合ではないか。「天皇の制度」よりもはるかに巨大な変化については「開かれる」と、「国民の総意」に関わりなく展望・断定しながら、なぜ「天皇の制度」は「国民の総意によって解決されるべきもの」なのか？　六一年綱領では、「君主制（天皇制）を廃止し、……人民共和国をつくり」としていた。
「国家権力そのものが不必要になる社会」は、エンゲルスの『空想から科学への社会主義の発展』と近年に不破氏が否定的評価を強調しているレーニンの『国家と革命』による「国家の死滅」を引きずるものである（マルクスは「国家の死滅」とは書いていない。『ウィキペディア』ではマルクスからの引用は無い）。

以上に明らかにしたように、共産党の綱領では、資本主義を原理的にどのようなものとして認識するのかという根本問題について不十分であり、誤りに陥っている。そして、未来社会をいかに展望するかについても「社会主義・共産主義の社会」なる意味不明なジャルゴンで迷っている。

このような弱点にもかかわらず、党創設いらい一〇〇年近く存続し、今日の党勢を築いていることについてはプラスとして評価しなくてはならないが、その弱点ゆえにその成長はこの程度に止まり、近年の長期にわたる「後退」を招いているのである（共産党の党勢の動向については、別稿を参照してほしい）。

なお、綱領には、党の組織原則についての説明は一切なく、「民主集中制」にも言及していない。「民主集中制」は消えてしまうのか。組織論が不確かでは、組織がまともに保持出来るはずはない。

〈注〉

(1) 村岡到「則法革命こそ活路──民主政における革命の形態」：『連帯社会主義への政治理論』（五月書房、二〇〇一年）に収録。

「〈支配構造〉と問題を立てる意味」:『閉塞時代に挑む』(二〇〇八年)、に収録。「『階級闘争』の呪縛からの解放を――『資本家=敵』は誤り」:『ベーシックインカムで大転換』(二〇一〇年)に収録。八六頁。

(2) 日本共産党出版局『日本共産党綱領問題文献集』一九七〇年、参照。

(3) 桜井善行『企業福祉と日本型システム』ロゴス、二〇一九年。

(4) 長谷川正安・藤田勇編『文献研究マルクス主義法学』日本評論社、一九七二年、三頁。村岡到『社会主義はなぜ大切か』(社会評論社、二〇〇五年)第2章で詳述した(一〇七頁)。

(5) 不破哲三『レーニンと「資本論」』第5巻、新日本出版社、二〇〇〇年、四二一頁。このことは、村岡到『不破哲三との対話』(社会評論社、二〇〇三年)でも指摘した(一六九頁)。

(6) 村岡到『不破哲三と日本共産党』(二〇一五年)の「第V章 不破理論とは何か」で詳述(一四一頁)。

(7) 村岡到『日本共産党をどう理解したら良いか』(二〇一五年)に収録。八〇頁。

(8) 村岡到「ロシア革命と『歴史の必然性』の罠」:『協議型社会主義の摸索』(社会評論社、一九九九年)参照。

(9) 村岡到『協議型社会主義の摸索』に収録。

(10) 村岡到「〈利潤分配制〉を獲得目標に」:『社会主義へのオルタナティブ』(一九九七年)に収録。

(11) 村岡到『生存権所得』(社会評論社、二〇〇九年)、『ベーシックインカムで大転換』(二〇一〇年)、村岡到編『ベーシックインカムの可能性』(二〇一一年)参照。

日本共産党第二八回党大会

――党勢の後退を打破できるか

日本共産党の党大会について論評する前提として、〈共産党を批判的に支持する〉ことを明らかにしておく。

共産党は、第二八回党大会を一月一四日から一八日まで静岡県熱海市の伊豆学習会館で開催した。代議員七六〇人、評議員一一七人などが出席し、一六年ぶりに綱領を改定し、当面の活動方針と新しい人事を決定した。

私には、志位和夫委員長の「結語」が印象的であった。志位氏はその冒頭で「多様性が輝き、相互にリスペクトしあう」と述べた。「この党大会の討論は」と前置きされてはいるが、党外との関係にも及ぶことを期待したい。もう一つ、志位氏は、ジェンダー平等に関して、「同性愛を性的退廃の一形態」と見る、一九七〇年代の論文について、党員からの指摘に応えて「これらは間違いであった」と明確にした。会場はここで「大きな拍手」が起きた。

今大会の目玉は、中国についての評価の変化（批判の強調）とジェンダー問題の前面化の二つと言える。前者については、その論拠と推論に後述するように大きな問題はあるが、二つとも重要な問題であり、共産党にとっては前向きの変化と評価できる。このことを認めた上で、看過できない弱点をさらすことになったと率直に指摘・批判する必要がある。

党勢の後退を直視できず

第一の弱点は、党勢の現状について直視することを避けている。今大会ではわざわざ「第二決議（党建設）」として党建設について取り上げた。この決議の冒頭では「党建設の現状を歴史的視野でみると、一九八〇年ごろをピークにして後退が続いてきた」と確認し、「二七万人余の党員、一〇〇万人の「しんぶん赤旗」読者をもち」と書いている。ただこれだけである。これでは、党員や「赤旗」読者がどれだけ減ったのか、まったく分からない。

三年前の第二七回党大会では「大会決議」の第5章の冒頭で「私たちは、前大会（二〇一四年）で、党勢拡大の目標について、二〇一〇年代に五〇万の党員、五〇万の日刊紙読者、二〇〇万の日曜版読者の実現〔という〕党勢の倍加に挑戦することを決めた」と明らかにしていた。そこでは「党勢の現状は、党員が約三〇万人、読者が約一一三万人となっている」とも書いた。

つまり、党勢の倍加どころか、党員は約三万人＝一〇％も減り、「赤旗」は一三万部＝約一二％も減少した。だが、今度の決議にはこの数字は隠されている。「わが党には一万八〇〇〇の支部があり」と書かれているが、これまでは「二万の支部」とされていた。これまた一〇％減である。

「二六〇〇人を超える地方議員」とも書いてあるが、定数自体が減少したこともあり、これも減っている（二〇〇〇年の第二二回党大会では四四五五人だった）。前大会ではその前の大会からの「三年間に一万三一三二人の同志が亡くなりました」と報告されたが、その数字も無い。

「党費や募金の減少、機関紙読者の後退が、党機関財政の困難をもたらし、党機関や議員の後継者をつくる障害となっている」と書かれているが、「党費納入率」は示されない。財政報告が無いのも共産党大会の特徴である。大会文書の「読了率」も出てこない。毎日「日報」を取っているはずだから、党中央は数値を知っているはずであるが、示すことが出来ない。それほど落ち込んでいるのであろう（「四月の党建設の到達点」として、「綱領の読了が三一・一％」と報告された。「赤旗」四月一八日）。なお、今後は「日報」は「特別な時期に限定的に行」うことになった。

不思議なことに、この「決議目次」には、「強大な党」とは書いてあるが、「目標」の二字は無く、第3章には「次の目標」として、「党創立一〇〇周年までに」「第二八回党大会時比一三〇％の党をつくる」と書いてあるが、ここにも絶対数（約三五万人）は示されていない。六年前の第二六回党大会での「五〇万の党員」や「党勢の倍加」はどこへいったのであろうか。見通し・願望の錯誤を反省する必要があるのではないか（「赤旗」のピークは一九八〇年に三五五万部）。

「世代的継承の問題は、党づくりの最大の弱点だが」とか「いずれも胸の痛む事態」とも書いているが、現状を直視し、党員に明らかにすることなしには、この後退傾向を克服することは出来ないであろう。

中国評価変更の前提に問題（別稿。本書、一六九頁）

「野党連合政権」について

第三の弱点は、「野党連合政権」についてである。「市民と野党の共闘」を強調し実践していることはプラスに評価しなくてはならないが、その陰で曖昧になることがある。「日米安保、自衛隊、天皇制」という三つの重要問題については、「第一決議（政治任務）」の第2章で「日本共産党は自衛隊や安保条約について独自の見解をもっている。自衛隊は憲法9条に明確に違反しており、日米安保条約をなくしてこそ、日本は本当の独立国になると考えている。しかし、こうした日本共産党の見解を政権に持ち込むことはしない。……したがって、政権としては安保法制強行以前の憲法解釈・法制度・条約上の取り決めで対応することになる」と明らかにした。だが、これでは、半ば以上に自衛隊容認となるほかない。私が何度も主張しているように、〈閣外協力〉を選べば、自衛隊違憲を明確に主張できるのである。なお、「第一決議」で「政権構想」を三度使うようになった。

なお、来賓挨拶が野党や市民運動のリーダーから一八人あったが、そのなかで「野党連合政権」と発言した人はごくわずかである。「民衆が切望する連合政権」とか「国民連合政権」と別の言葉を使ったり、多くは政権には触れないで済ましている。何回も言うように仮に新政権が生まれたら「野党連合政権の与党」なる珍語を使うのか？

他の政党・党派についての言及・評価がほとんど欠落していることも重大な欠落である。共闘を拡大するための配慮ではあるだろうが、工夫が必要である。

「社会主義・共産主義の社会」は疑問

第四の弱点は、未来社会の展望について議論が低調である。「社会主義・共産主義の社会」なるジャルゴンを使っているが、「第一決議」では「資本主義を乗りこえた未来社会」と書き、志位氏の「結語」の結びが「社会主義的未来」となっているように、無理して重ねて書くことは止めたほうがよい。大会では八八人が発言し、「赤旗」九面分も使って掲載されているが、「社会主義・共産主義」に触れたのは三人だけである。その一人は大学生で、「社会主義・共産主義を学ぶ」と発言しているが、学ぶのは「科学的社会主義」という理論のはずであり、「社会主義・共産主義」は未来社会の独特な呼称である。大会代議員に選ばれる学生がこの程度とは情けない。

軽視される労働運動

第五の弱点は、労働運動についての記述が不十分である。前大会では「六〇〇〇万人の労働者階級」が強調されていたが、それも消失した。大会では「野党連合政権をすすめるためには、労働組合の果たす役割はきわめて大きい」と補足されたが、こんな「補足」が必要なほどに、労働運動が軽視されていた。

また、新綱領では第18節に「発達した資本主義国での社会変革は、社会主義・共産主義への大道である」と新しく加えた。この点については「大会議案への感想・意見・提案」でも数人から「大道」についての違和感・批判が出されていたが、「『割り切り』をおこなった」として強調された。一九九四年に破棄された「社会主義生成期」論のように、いずれ再検討されるであろう（本書、一三〇頁、一八三頁、参照）。

なお、「社会主義的変革の『特別の困難性』」を強調するようになったが、マルクス主義における従来の伝統的認識の弱点・欠陥を切開・反省することこそが求められている。

新しい人事では、ほぼ変動はなく女性幹部の数を増やすなど工夫しているが、八九歳の不破哲三氏がなお常任幹部会員に選出された（八〇歳代は三人）。他の分野でも九〇歳でも現役の人が居ないわけではないが、役員の年齢や継続期間については一定の制限を設けたほうが良い。

なお、共産党は大会直前の一二日に第九回中央委員会総会を開いた。翌日の「赤旗」に開催されたという記事が出たが、まったく異例なことである。なぜ開催する必要があったのか不明朗である。

昨年末に発行された「大会議案への感想・意見・提案」については、「共産党第二八回党大会への意見集について」（『村岡到論文リーフレット』第二号）で取りあげた（本書に収録）。

日本共産党第二八回党大会への意見集について

昨年（二〇一九年）末に、日本共産党は「赤旗　党活動のページ　臨時号」として「大会議案への感想・意見・提案」を刊行した。タブロイド判二分冊で合わせて八五頁。二一四人の意見が収録されている。字数制限は一人一六〇〇字。少ないものもあり、全体では四〇〇字なら約八〇〇枚くらいか。

内容の検討に移る前に、はっきりさせておかなくてはならないことがある。この制度は、党大会の開催直前に行われるもので、日本の他の政党には無い。党員は約二七万人とされているから、一三〇〇人に一人にすぎない。とはいえ、貴重な機会であり、党員の質や共産党が当面している課題がどこにあるのかを見極める手がかりではある。

今度の二一四人という数は、六年前の第一六回党大会や三年前の第一七党大会に比べると約一五%増えている。意見の内容も中央への翼賛的なものは減り、批判的な意見が増えたという印象である。このような意見発表の場の常設を求める声も出されているように、そうなることが望ましいことは明らかであるが、高望みする前に、わずか三〇〇円で党外の人にも入手可能な形で党員の意見発表の場が実現していることについては肯定的に評価しなくてはならない。繰り返すが他の政党・党派には存在しないものである。

まず発表された意見がどんな傾向になっているのか。厳密に比率を割り出したわけではないが、もっとも多いテーマは「中国をどう評価するか」であり、ついで地球環境問題やジェンダー問題、それから党活動のあり方について関心が高いようである。大会議案での提起がそうなっているから、それに沿ったものと言える。

中国をどう評価するか

中国をどう評価するかについては、この大会の第一の目玉である。現綱領に書かれている、「社会主義をめざす新しい探究が開始」されたという記述を中国については外すと改めた。党員の意見では、

- 「中国は『国家資本主義』と規定」（安達安人）
- 「中国の誤りは顕著――『社会主義めざす……』削除ですっきり」（宮地四郎）
- 「中国の誤りの一因に『毛沢東思想』」（有田光雄）

などこの変更を支持する声が多い。逆に、

- 「社会体制はどのような生産関係が成立しているかで判断される」（大西広）として、いくつかの事実認識の誤りを指摘してブレーキをかける声もある。

関連して一九一七年のロシア革命の評価についても疑義が提出されている。意見集のなかで数人から批判が加えられている問題がある。綱領改定案では第18節に「発達した資本主義国での社会変革は、社会主義・共産主義への大道である」と新しく加えた。この点については数人から「大道」についての違和感・批判が出されている。

地球環境問題とジェンダー問題について

この二つの大きな問題を前面に掲げて明らかにしたことは、綱領改定としては大きな前進であり、党員の意見もほとんどが支持・補強する立場から出されている（内容は省略）。

多岐にわたる意見

前記の論点いがいでもさまざまな問題が出されている。普段は、共産党員が何を考え、主張しているのかについて触れることは稀であろうから、羅列的に紹介しよう（以下は意見のタイトル、または本文から）。

- 「民主集中制の見直しが必要であろう」（薄田敏明）
- 「ここ数年で党組織が一気に瓦解していく危機感がある」という党員の声が「赤旗」に紹介された例を引いた上で、「党名の変更」を提案（野々村勝）
- 「民主日本共産党」に党名の変更を（吉田英二）

・「『個人後援会』に賛同できません」（森文雄）
・党員の高齢化「赤旗」配布の困難性（数人から）
・「自衛隊違憲説のままでは、国民の広範な支持は得られないであろう」（竹田進）
・「社会主義生成期論の考え方がいまだ残っている」（天野千明）
・「日米地位協定」について強調（野田章夫）
・「食料農業問題での補強意見」（小倉正行）
・「自衛隊を災害救助隊と国境警備隊に再編して」（青木政明）
・天皇への「祝意」に強い疑問（朝日昇）
・「大会決議案でも労働組合運動に対する取り組み方針はありません」（平山安信）
・「自衛隊政策についての意見」（是枝良勝）
・「『政党助成金』活用の提案」（立原義男）
・「政党助成金問題への新方針を待望する」（青木聡）
・「安保条約の廃棄条項を削除して、自衛隊と同じく、政権をとってから国民とじっくり考える」（中川健二）
・「選挙制度についての見解を書くべきだ」（人見吉晴）
・「『人間の全面発達』について」「多面的な発達」に修正を（柿田芳和）
・「社会主義に関する文言削除に反対」（持田誠）

・「『社会主義・共産主義』も微妙な表現である」（鈴木和夫）
・「党の組織原則のあり方への意見」（M・Y）：「一九回党大会での宮本顕治議長の冒頭発言は、党の公式見解ではないことを明示する」
・「党中央にたいして批判的な意見も赤旗にのせ」る（中野潤）
・「天皇の制度について」（種村美男）：「補足改定してほしい」
・「党指導部を選出する際の直接選挙権」を（青木聡）
・「『閣外協力』の表明を」（下之園琢磨）
・「MMT理論とは何か」（堀尾晴真）
・「以前、わが陣営でも『企業の民主的規制』が言われましたが」（長沢孝司）
・「なぜ党員の減少や機関紙の減少をありのままに記述しないのか」（浦川次郎）
・「『搾取も抑圧のない共同社会』を挿入する提案」（前田利夫）
・「れいわ新選組に対する評価、見解が記述されていない」（鶴見鍵二）
・「赤旗に天皇制そのものを問う記事は見当たらない」、「党が政権参加することのネガティブな影響を危惧する。重要な問題は自衛隊」（南沢）
・「『野党連合政権』は形容矛盾の表現である」（川島健也）
・「『多様性の中の統一』は党内の活動にも必要」（柳田庄治）
・「天皇条項」について補足（S・H）

・「『敵の出方論』を大会で公式に廃棄を」（中井健二）
・決議案：「少なくない地域支部で、支部長を70代以上の党員が担う」

このようにさまざまな意見が出されている。

党員の高齢化や「赤旗」配達の苦労、世代的継承についても事態が深刻であることが切実に表現されている。先日の「赤旗」訃報欄には、八九歳で「党支部長」の人がいた（一二月二一日）。「大企業の民主的規制」について、「大」を抜かして「企業の民主的規制」という意見が出されているが、「大会決議案でも労働組合運動に対する取り組み方針はありません」という意見とともに、重要な指摘である。「れいわ新選組に対する評価、見解が記述されていない」という指摘も重要である。「ＭＭＴ理論」についても欠落している。

同時にいくつもの重要な課題や論点が欠落していることに気づく。あるいは弱点も浮かび上がる。社会全体では話題になっているのに、まったく問題になっていないことも少なくない。「友愛」にふれる意見は無いし、ベーシックインカム（生存権所得）や国際連帯税も視野の外である。

この意見集だけから判断することは避けなければならないが、党全体の理論的停滞を、私は痛感する。

私の主張とも重なる意見

最後に、これらの意見を概観すると、私がこれまで共産党に対して加えてきた批判や主張と重なる意見も少なくない。

自衛隊問題、政党助成金の活用、「人間の全面発達」について、天皇制、閣外協力、「野党連合政権」は形容矛盾、などが問題とされている。もちろん、それらが私の主張の影響によって生じているなどと錯覚することはない。真っ当な意見だから時空を超えて共通に考えられているということである。

だが、少し説明を加えると、私の主張とは方向が異なる論点もある。自衛隊違憲を取り下げろとか、日米安保も棚上げせよという声までが上がっている。これらの意見は、私がこの間、危惧している問題である。これらの声を誘発し勢いづかせるかのように、志位氏は新年の挨拶（「赤旗」一月五日）の中で自衛隊や天皇についてはまったく言及していない。まるで自衛隊が存在していないかのようである。前にテレビの党首討論で公明党の山口那津男代表がからかったように、「共産党が自衛隊違憲と言わなくなると、だれもそう言わなくなる」のである。

この意見集に意見を投稿した党員だけではなく、真剣に社会を変革しようとする真面目な党員によって共産党は支えられている。その多様性が活かされるように期待したい。

『閣外協力』をめぐる足踏み

志位委員長が「閣外でも」、だが「赤旗」は触れず

「毎日新聞」によると、二〇一九年一二月二〇日に日本共産党の志位和夫委員長が国民民主党の玉木雄一郎代表との会談の後に記者団に「野党連合政権」に関して「閣内、閣外の両方がある。閣内でないと絶対にだめとは言わない」と述べた（一二月二一日）。この記事の見出しは「志位氏、野党連合『閣外でも』」と付けられている。前日のネットの記事では見出しに「志位氏と玉木氏『共鳴』？　連合政権協議『閣外協力でも』」と書かれていた（だが、「朝日新聞」も「読売新聞」もこの会談自体を記事にしていない）。志位氏が「閣外でも」と言い出したことは半歩前進である。

この会談については、翌日の「赤旗」が一面トップに「立憲主義、格差是正、多様性――政権交代での協力を合意　共産・志位委員長、国民・玉木代表と会談」なる大見出しで報道した。だが、この記事には「閣外でも」発言は書かれていない。

これはまったくおかしなことである。「赤旗」の記事を読む玉木氏は、どうして会談での目玉で

あった「閣外でも」発言に触れないのか違和感を抱くにちがいない。ここがキーポイントであったことは、「毎日新聞」の見出しが示している。それにしても、政権構想論議におけるキーポイントについて、他党との党首会談では口にして、自分の党の党員には知らせない＝隠すとは、何とも不思議である。

「毎日新聞」のネットの記事には「閣外協力でも」と見出しになっているから、志位発言を「閣外協力」と読み込むことは見当外れではない。

なぜ、志位氏はすっきりと「閣外協力」と言わないのか？　この会談の前日にも志位氏は「BSフジ番組」に出演し、本日の「赤旗」に二面にわたって「志位委員長、大いに語る」が掲載されているが、そこでも聞き手が「閣外協力ですか」と質問したのに対して、「閣内か閣外か、私たちは今から、どっちでなければいけないということを言うつもりはありません」とあいまいに答えた。

「閣外協力」、この四文字は、この間、私が何度も強調している。季刊『フラタニティ』第一四号（二〇一九年五月）の「政局論評」でも、第一五号（八月）の「〈政権構想〉と〈閣外協力〉の重要性」でも、第一六号（一一月）の「政局論評　野党の新政権誕生には〈閣外協力〉が不可欠」でも主張した。『週刊金曜日』の投書にも「閣外協力で政権交代を」が掲載された（八月三〇日）。

私は、一九一六年七月の参議院選挙の後に「野党共闘」が浮上するなかで、「宮本顕治の凄さと時代的限界」を発表し、そこで「共産党が野党第一党に成長するまでは、野党第一党が主導する政権を〈閣外協力〉する戦術を選択しなくてはならない」（『共産党、政党助成金を活かし飛躍を』

二〇一八年、一五六頁）と提起した。一八年には同書の「第1章　日本共産党躍進の活路はどこに」で「〈閣外協力〉の必要性」と節を立てて強調した。

もう一五年も前に、共産党は綱領の改定において、それまで使っていた「生存の自由」なる不自由な言葉を恐らく私の批判の影響で取り下げたことがあった。言葉には特許権はないから、ぜひ、〈閣外協力〉を明示することを強く望む。

ついでながら、前記の「ＢＳフジ番組」では綱領改定に関して、「未来社会」について「人間の自由で全面的な発展」を小見出しにして強調しているが、綱領改定案にはこの言葉は書かれていない。

投書再掲　二枚舌か　自衛隊めぐる志位発言

共産党の志位和夫委員長は、二月二三日にＢＳ朝日番組「激論クロスファイア」で田原総一朗氏を相手に議論した。翌日の「赤旗」に全一面を使って報道された。

志位氏は、「野党連合政権」に関連して、「私たちがその政権に閣僚を送った場合に、閣僚として『自衛隊が違憲か、合憲か』と問われれば、閣僚として当然『合憲』と答えます。ただ、違憲だという党の立場は変えません」と答えた。

これではまったく「二枚舌」ではないか。

「野党連合政権」なるものが実現することも困難であり、共産党から誰がどのポストで入閣するのかも分からないが、かりに志位氏が防衛大臣になったとして、自衛隊員の前やマスコミのインタビューで「自衛隊は合憲です」と発言した直後に共産党主催の大集会で志位氏が「自衛隊は違憲です」と説明したら、どっちが本当なのだ、ということになる。

こんな「二枚舌」、出鱈目が許されるであろうか。

志位氏は、この発言の前に、「政府」と「政権」との違いについて普通には理解不能な説明をした後で、「わが党は場合によっては、『閣外』でもいいし、必要ならば『閣内』にも入ります」とトーンを下げた言い方をしている。

「赤旗」の見出しには「『閣内』か『閣外』か」とされている。志位氏は「閣内協力」とは言うが、「閣外協力」と言わないように注意している。

だが、共産党が「自衛隊は違憲」を貫きながら、新しい政権の誕生に協力する道は、私が前から主張しているように〈閣外協力〉以外にはありえない。

なお、「野党連合政権」が誕生すると「野党連合政権の与党」なる珍奇な言葉が必要になるから、この言い方は変えたほうがよい。

「閣外協力」と言い出した志位委員長

日本共産党の志位和夫委員長は、二〇二〇年三月二六日、立憲民主党や社会保障を立て直す国民会議に「野党連合政権にのぞむ日本共産党の基本的立場——政治的相違点にどう対応するか」を示した。翌日、「赤旗」で発表した。

その最後に、「『閣内協力』と『閣外協力』——状況にそくして最善の道を選ぶ」と項目を立てて明らかにした。これは注目すべき変化である。何が変化したのか。一カ月前に志位氏はBS朝日番組「激論クロスファイア」で田原総一朗氏を相手に議論したが、その報道での小見出しは「『閣内』か『閣外』か」とされていた（「赤旗」二月二四日）。「閣外」と「閣外協力」ではごく小さな違いとも言えるが、実は大きな意味があることは「赤旗」編集部がいちばん理解しているだろう。

二つの「赤旗」記事の中間に、『週刊金曜日』に私の投書「二枚舌か　自衛隊めぐる志位発言」が掲載され、そこで私は、「志位氏は『閣内協力』とは言うが、『閣外協力』と言わないように注意している」と指摘した（三月一三日、前頁に再掲）。

今度の「基本的立場」でも「最善の道を選びます」と曖昧であるが、「閣外協力」の可能性が少し増したようである。「政府」ではなく「政権ならば、『閣内協力』『閣外協力』の双方を含むより幅広い概念になる」という志位氏の説明は通常の理解ではない。『広辞苑』では、「政権」は「『政府』とほぼ同義にも用いる」とある。

中国評価の「見直し」の問題点

日本共産党は、二〇二〇年一月中旬に開いた第二八回党大会で、党の綱領を一六年ぶりに改定した。その大きな目玉は、ジェンダー問題を重要課題として前面に押し出すことと、中国をいかに評価するかについて「社会主義をめざす国」規定を捨てたことの二つである。ジェンダー問題については、同党の一九七〇年代の認識――「同性愛を性的退廃の一形態」とする――が「間違いであった」と、志位和夫委員長が「結語」で明言し、この発言に「大きな拍手」が起きた。(1) 本稿では後者の問題だけを取り上げる。中国評価の変更は、共産党の中では、「これで中国の行動を批判しやすくなった」と好評のようであるが、この変更にはもっと重大な問題が潜んでいる。

大会から二カ月後に、志位氏は、三月一四日に党本部で「改定綱領が開いた『新たな視野』」と題して五時間にも及ぶ講演を行った（以下、「大講演」とする）。

志位氏は、日本共産党と中国共産党との歴史的な関係を、未公開の事実も含めて克明に明らかにした。それ自体は、両党関係の歴史を深く知る上では貴重な記録でもあり、専門的に研究する意味も小さくないだろうが、本稿では踏み込むことは出来ない。戦後の共産党を主導した宮本顕治は、一九六四年には三カ月も中国の海南島に特別列車で行き病気療養したこと[2]もあるほど親密な関係でもあったにも関わらず、いわば私情に囚われることなく、「自主独立」の立場を堅持して、中国共産党による干渉を跳ね除けてきた。この苦闘が活かされている、とだけ確認したい。

その意味では、共産党が中国政府の逸脱や誤りについて厳しく批判する立場を明らかにしたことはプラスに評価しなくてはならない。誰も指摘する人はいないようであるが、中国共産党は日本共産党を対話の相手として認知し、そのように扱ってきた。日本の左翼勢力のなかでこのような扱いを受ける党派は存在していない（かつてのいわゆる「中国派」は別として）。物事はどんな場合でも「表裏一体」であるが、この両党関係についてもプラスとマイナスを冷静に評価する必要がある。

本稿では、志位氏が強調する中国評価の「見直し」、認識の変更の理由、その説明の仕方に絞って検討する。

本論に入る前に次のことだけを確認しておきたい。言うまでもなく中国は日本の隣国であり、人口は現在世界最高の約一四億人で（世界の人口は七七億人）、多民族国家（九二％の漢族と五五の少数民族）である。歴史的にも紀元前数世紀の弥生時代から交流があり、同じ漢字圏である。文化の交流も深い。毛沢東に次ぐ周恩来は、明治大学で学び、マルクス主義のある部分は日本を経由して伝えられた。そして日本は一八九四年の日清戦争いらい侵略した。一九四九年の革命いらい、革命を主導した中国共産党は「社会主義」を志向していると表明している。憲法は九回も改正されたが、現行の二〇〇四年憲法でも「序言」に「社会主義建設の事業」と明記されている。[3]何をどのように認識・判断するにしてもこれらの事実の重さを念頭に置く必要がある。

第1節 「見直し」の中身

まずはどのように「見直し」たのか、その中身を確認しよう。改定前の綱領では、中国はどのように認識されていたのか。

「資本主義から離脱したいくつかの国ぐにで、……社会主義をめざす新しい探究が開始され」たとして、「離脱したいくつかの国」の一つとして想定されていた。

改定綱領ではこの規定を削除した。ただそれだけである。普通、「見直し」とは、Aという認識をBという認識に変えることを意味する。「利口だと思っていたが、バカだった」というように。ところが、共産党の「見直し」は、Aという認識をただ無くすことらしい。

このように批判すると、いやそんなことはない。「覇権主義」と書いてあるではないかという「反論」を招くかもしれない。確かに「覇権主義」が「ソ連覇権主義」をはじめ一五回も乱発されているが、「中国覇権主義」とは書かれていない。しかも「覇権主義」は対外政策についての特徴づけであって、「資本主義」や「社会主義」という一般的な体制規定とは異なる。次元が異なることは誰にでも分かる。先の譬えを続ければ、「利口だと思っていたが、身長は低かった」と言うようなものである。

なお、改定綱領でも改定前の綱領でも、中国については「一、戦前の日本社会と日本共産党」

にわずか五回書かれているだけで、一九四九年の中国革命後については「中国」は出てこない。まるで中国という国家が存在しないかのようである。ただ、前記のように、改定前の綱領では「資本主義から離脱したいくつかの国ぐに」の中に中国が入っていると理解できる記述になっていた。

第2節 「唯物史観」を捨てるのか

本節では、この「見直し」の問題点を明らかにする。

本論に入る前に、「唯物史観」の四文字について断る必要がある。というのは、共産党では「唯物史観」ではなく、「史的唯物論」を使っているからである。『社会科学総合辞典』には、「唯物史観」の項目は無く、「史的唯物論」の項目の冒頭に、「社会とその歴史にたいする唯物論的な見方、唯物史観ともいう」と説明されている。また、ハンガリーの理論家「ルカーチ」の項目には「唯物史観主義」なる聞き慣れない否定的用語が書かれている。

だが、本稿では慣用に従って「唯物史観」を用いる。歴史の観方という意味が明確に表現できるからである。

まず、どのような理由で中国評価を変更したのかを確認しよう。この肝心の問題について、わずか二カ月しか経っていないが、志位氏の説明は変更された。そこでやや煩瑣ではあるが、大会での説明についての検討をしてから、前記の大講演での説明の要点を検討する。

A　変更の論拠、大会での説明

志位氏は大会で行った「綱領一部改定案についての中央委員会報告」で、「中国にたいする認識を現状に合わせて見直し、『社会主義をめざす新しい探究が開始』された国とみなす根拠がなくなったとして、綱領から削除する」と説明した。この「現状」として「東シナ海における覇権主義的な行動」や「香港における人権侵害」をあげた。

そして、「全党討論のなかで『……いったいどういう経済体制と見ているのか』という質問が出されています」として、次のように答えた。

「これに対しては、どんな経済体制をとるかは、その国の自主的権利に属する問題であり、基本的に内政問題だということを指摘しなければなりません。個々の研究者・個人がその見解を述べることはもちろん自由ですが、政党として特定の判断を表明すれば、内政問題への干渉になりうる問題となります。したがって、日本共産党として……経済体制についての判断・評価を公にするという態度はとりません。内政不干渉という原則を厳格に守」ります〔A〕。

「わが党が中国を見る際の最大の基準としてきたのは、『指導勢力が社会主義の事業に対して真剣さ、誠実さをもっているかどうか』であ」ります〔B〕。

「中国の党は、『社会主義』『共産党』を名乗っていますが、その……行動は、『社会主義』とは無縁であり、『共産党』の名に値しません」(4)〔C〕。

党大会から一カ月後、志位氏は、二月二三日にBS朝日「激論!クロスファイア」で田原総一朗氏の質問に答えて次のように語った。

「これまでの綱領では中国について、『社会主義をめざす新しい探究を開始している国』だという規定だったんです。それには根拠がありまして、かつて毛沢東の時代に〔日本共産党に対する〕乱暴な干渉があったのですが、一九九八年に中国の側から『間違っていた』と認め、関係を正常化しました。そのとき彼らの『誠実さ、真剣さ』を評価して、こういう綱領の規定となりました[5]」。

また、〔C〕を簡略に「中国の政権党は、社会主義、共産党と名乗っているが、その行動は社会主義とは無縁であり、共産党の名に値しない」と説明した。

以上の志位氏の説明について、その問題点を明らかにしなくてはならない。

第一に、問いと答えがズレている。「どういう経済体制と見ているのか」と問われているのに、志位氏は「どんな経済体制をとるかは、その国の自主的権利に属する問題」だと答える〔A〕。「舞台の歌手が何の歌を歌っているのか」と聞かれて、「どんな歌を歌うかはその歌手の権利だ」と答えたら、「お前はバカか」と言われるだろう。このズレは、大会初日の翌日の「赤旗」に掲載された「報告骨子」に露わとなっていた。そこには「『中国はどういう体制とみているか』――内政問題であり判断を公にしない[6]」と書いてあった。初めの一句は「中国を」とすべきであろうが、或る国の体制をどう評価するかが、なぜ「内政問題」なのか、すぐに気づくズレである。

第二に、そのように問題をズラした上で、独特の「内政不干渉」論を持ち出す。「個々の研究者・個人」の研究は「もちろん自由」であるが、「政党として特定の判断を表明すれば、内政問題への干渉になりうる問題となります」という説明は真面であろうか。「なりうる問題となります」という言い方がそもそも曖昧である。「なりうる」基準は何なのか？

第三に、〔B〕の「指導勢力」とは何か？　何の説明もない。こんな単語は唯物史観の中には無い。『社会科学総合辞典』の「革命の移行形態」という項目に出てくる「支配勢力」とも違うようである。間違いか否かは別として、唯物史観では、歴史は、「支配階級」と「被支配階級」との「階級闘争」として捉えられている。中国については、特別に「支配階級」でも「支配勢力」でもない「指導勢力」が存在するとされたのであるが、なぜなのかの説明は一言も無い。

「支配」と「指導」とは対極的である。「支配者」と名指しされれば反発するだろうが、「指導者」と言われれば悪い気はしない。「指導」を否定的ニュアンスで用いることは通常は無い。だから、中国政府の否定的行動を強く批判する文脈で、「指導」を使うのはチグハグである。せめて「為政者たち」とでも表現したほうがよいだろう。「支配」より「統治」や「為政」のほうが価値判断が薄まる。

なお、不破哲三氏は、八九歳でなお常任幹部会員であり、再任もされたが、そのことは別としても大会でも特別扱いされ、代議員の一人にすぎないのに他の代議員よりも数倍の発言時間を許された。その発言の中で当然にもこの中国評価の変更について肯定したが、なぜか、「指導勢力」とは言わなかった。つまり、この新語は彼の発案ではなく、使うことをためらっている。あるいは拒否しているのか、その真意は分からない。大会での代議員の発言でも、大会後の「赤旗」の報道でもこの四文字を使う例はないようである。

第四の問題は、その「指導勢力」の姿勢が事を決する唯一の根拠とされていることである〔B〕。ここで問題になっているのは、「どういう経済体制」なのかである。それを「指導勢力」の姿勢によって判断するというのである。志位氏の大会での説明でもそうなっているし、前記の田原氏への答えに典型的である。「彼ら〔中国の指導者〕の『誠実さ、真剣さ』」が根拠だというのである。唯物史観に従うなら、「生産関係」がどうなっているのかを根本的な論拠にしなくてはならないはずである。これではまるで「英雄史観」ではないか。

第五の問題は、中国の経済体制は何なのか、問われているこの核心に前記の奇妙な「内政不干渉」論によって答えない。唯物史観では、「経済的構造」こそが社会の「土台」であり、それに規定されて「政治的上部構造がそびえ立って」いるとされている〔政治による反作用をまったく認めないわけではないが〕。ところが、志位氏は、中国の経済体制には触れない。「内政干渉になりうる」というおかしな説明で逃げているだけである。

仮に中国を「国家資本主義」にまで変質したと断定するのであれば、そこには「支配階級」が存在することになるのかもしれない。しかし、日本共産党はこの見解にはまったく触れないから、「支配階級」とは言えない。そこで、従来の唯物史観には存在しない「指導勢力」なる説明できない新語を使うことにしたのであろう。

第六の問題は、うっかりすると見落としてしまうが、〔A〕の「内政不干渉」は「経済体制」についてだけに限定されている。どうしてそう言えるかというと、前記のように、中国の「現状」として「東シナ海における覇権主義的な行動」や「香港における人権侵害」をあげて、それらについては強く批判しているからである。しかし、政治面での行動についてては批判を表明しても「内政干渉」にはならず、「経済体制」についてだと「内政問題への干渉になりうる」とはどういうことなのか。整合性が欠如している。だから「独特の『内政不干渉』論」と特徴づけたのである。

前記の第三から第五を一言でいえば「唯物史観」の忘却・放棄である。もし、今度の党大会で示された認識、その推論が正しくて今後はそのような仕方で日本や世界で起きている事象を認識することになると、「唯物史観」の基本的な視点は不要となる。

或る国家の政権が採用し実行する行為についていかなる評価を下すのかという問題と、その国を全体としてどのような体制として規定するのかという問題とは、深く関連してはいるが、別次元である。資本主義国家でも世界的な災厄に対して国際的支援で積極的でプラスの行動を採用する場合もあり得るし、社会主義を目指す国の政権が重大な誤りを犯す可能性もある。重大な誤りに対しては「内政干渉」を気にすることなく強く批判しなくてはならない。共産党は、この二つの次元の違いを理解できず、無視してしまったのである。

なお、志位氏は大会報告で「中国共産党」とも「平和と安定のための努力は続け」ると確認した。

当然である。

B　大講演での説明の変化

前記の大講演の検討に移ろう。大講演では、「綱領一部改定の全体の特徴をどうつかむかという問題」として、「大会での結語の最後の部分――『中国に対する綱領上の規定の見直しは、綱領全体に新たな視野を開いた』と述べた部分(7)」に注意するように求めた。

志位氏は、「一九九八年の両党関係正常化」などこの二〇年余の両党関係について初めて公開する事実、「覇権主義的ふるまい」なども含めて詳細に明らかにした後で、「なぜこうした誤りが起こったか――二つの歴史的根源について」と小項目を立てて、「私は、8中総の結語で、直接的原因として、指導勢力の責任を指摘しつつ、より根本的な問題として『中国のおかれた歴史的条件』について のべました」と語った。志位氏は、「中国のおかれた歴史的条件」として、「自由と民主主義の諸制度」の不在と、「中国社会に大国主義の歴史がある」の二点を指摘した。この二点の指摘は適切であるが、大会での説明と照合すると微妙な、しかし重大な違いがあることに気づく。

大会では、前記のように、「どんな経済体制をとるか」とか「中国を見る際の最大の基準として きたのは、『指導勢力〔の〕真剣さ、誠実さ』」だとしていたのに、大講演では「指導勢力の責任を指摘しつつ、より根本的な問題として『中国のおかれた歴史的条件』」と言い換えた。8中総では使わなかった「直接的原因」と加え、「最大の基準」が、「指摘しつつ」と軽く形容句となり、「より根本的な問題」がある、とされた。同時に、「指導勢力」なる新語については、8中総からの引用としてだけ使っている。私が大会直後に発表した短い論評[8]の影響か否かは確かめようがないが、明らかにトーンダウンした。

それよりも遥かに重要なことは、大会では「どんな経済体制をとるか」がともかく問題にされていたのに、大講演ではこの問題にまったく触れなくなった。大講演の一、二章では「経済」の二文字は、「政治上・経済上」、「経済大国」、「経済力」、「ソ連は経済的土台でも」と四回だけ出てくるのみである。「指導勢力」はトーンダウンされたようであるが、今度は「経済体制」が消滅されてしまった。

また、大会では強調していた「内政問題」云々という説明はまったく無くなってしまった。

第3節　「大道」論の誤り

もう一つ問題にしなくてはならない。志位氏が強調する「大道」論である。

改定綱領の「五、社会主義・共産主義の社会をめざして」の終わり18節で「発達した資本主義国での社会変革は、社会主義・共産主義への大道である。日本共産党が果たすべき役割は、世界的にもきわめて大きい」と打ち出した。

この章の最初の16節初めに、「日本の社会発展の次の段階では、資本主義を乗り越え、社会主義・共産主義の社会への前進をはかる社会主義的変革が、課題となる」と書いてある。「社会主義・共産主義の社会」なるものが曖昧で適切ではないことは、この共産党だけのジャルゴンが使われだした一六年前から何度も批判してきた。このジャルゴンの使用は「止めたほうがよい」[9]。今度あたらしく打ち出された「社会主義・共産主義への大道」についても問題にしなくてはならない。

この「五」章の17節では、初めの四〇〇字弱の文章に「社会主義・共産主義への前進」「社会主義をめざす権力」、「社会主義的改革の道」、「社会主義的変革」、「社会主義・共産主義への前進の方向」、「日本における社会主義への道」と微妙に異なる記述となっている。文学作品なら一つの事象を多様な言葉で飾るほうが良いであろうが、党の綱領において、類似の用語が短い文節に六つも羅列されているのは適切であろうか。しかも、この章のタイトルになっている「社会主義・共産主義の社会」は出てこない。

そして、前記のように18節に「社会主義・共産主義への大道」が登場する。

これでは読むほうは混乱するほかない。まず、このように極めて曖昧で混乱した書き方になっていることに注意する必要がある。認識が熟していないことの現れである。

実はこの問題については、党大会への意見集でもいくつかの批判が出されていた。例えば、ラテンアメリカ研究者の新藤通弘氏は「『大道』という表現は、その他の道を下に見る見方[10]」だとしてその修正を求めた。この他、広野生一、内井みち江、羽島大輔、人見吉晴、武舎正志の各氏が疑問を書いている。

そのために、志位氏はこれらの批判を無視できなくなり、大会で「発達した資本主義国での社会主義的変革の世界的意義について」と章建てして、わざわざ「なぜ『大道』とのべたか」と小見出しを立てて次のように説明した。

「読んで字のごとく『大きな広い道』という意味で使いました。『広辞苑』を引いても、『大道』とは一義的には『幅の広い道路』という意味とされています。二義的には『正しい道』という意味もありますが、そういう意味で使ったのではありません。一般的・普遍的な道という意味で使いました」。

こういう言い方を支離滅裂というのではないだろうか。初めは「『幅の広い道路』という意味」であって、「『正しい道』という意味で使ったのではありません」と言いながら、最後には「一般的・普遍的な道という意味」だと言う。「一般的・普遍的な道」なら「正しい道」と誰もが考えるはずである。

このように、党大会での志位氏の説明をまともに読めば、「大道」なる認識があやふやであることはすぐに気が付く。

志位氏は、この「社会主義・共産主義への大道」について、大会後も何度も強調している。前記の大講演では「資本主義をのりこえた社会への摸索、社会主義への希望」、「社会主義・共産主義社会〔の〕」が無い〕、「本来の社会主義の魅力」、「社会主義革命」と前記の七つの表現とも異なる言葉で説明した。とくに綱領では肯定的な意味では使われていない「社会主義革命」と言い出したことは注目してもよい。志位氏は六年前には、「綱領のなかには『社会主義革命』という言葉はないんです」

とまで語っていた[11]。

　この「大道」論のどこが問題なのか。前記の数人の党員が書いているように、この言葉は、「発達した資本主義国での社会変革」だけを「大道」とすることによって、その他の国々での闘いを「大道」から外れたものとして切り捨て、あるいは過小評価することになるからである。そして、この「大道」を歩む、日本の自分たちだけを特別の存在として過大評価することになる。これでは、他の国の闘いを「リスペクト」することは出来なくなる。この思考法は、ソ連邦や中国の経験を「社会主義と無縁」として切り捨てる態度と通底する大きな誤りである。

「社会主義・共産主義」なる意味不明確なジャルゴンとともに、この新しい「大道」も直ちに捨て、合わせてその根源に残っている「我が党こそが」という狭小な思考法を切開して克服しなくてはならない。

　同時に確認しておきたいが、志位氏は前記の大会報告の同じ章で「今のたたかいは未来社会へと地続きでつながっている」と強調した。この認識はきわめて正しい。だが、この「地続き」論は、志位氏が二〇一八年の「赤旗」元旦号の新春対談で口にしていたが、不破氏の主張と正反対である。不破氏は、一六年前に綱領を大改定した時に「社会主義革命への転化の角度からの特徴づけをなくした」と説明していた[12]。両者の対極的な相違については、「バッティングするはずである[13]」と前に指摘した。不破氏の誤りも同時に撤回したほうが良い。

　あらかじめ自分たちが選んだ道だけを「大道」と称することは不遜であり、錯覚である。日本だけでなく、ロシア、中国、ベトナム、キューバ、ベネズエラなどの革命や世界各地での社会主義に向かって進む多様な道や努力をトータルに包摂的に理解し、それらの経験から教訓を掴むことこそが強く求められているのである。

第4節　漂流の始まりか？——「社会主義生成期」論の撤回との比較

前記のように重大な意味をもつ、中国評価の変更に対して、大会での代議員発言では、ほとんど何の疑問も意見も出されていない。わずかに大会への意見集のなかで、大西広氏が軽く批評しているだけである。大会から二カ月が経つが、誰も問題にしない。

ここには、共産党の理論的衰退が示されている。この理論的衰退については、別論するが、『日本共産党の九十年』がついに刊行できなかったことに象徴的に露わである。本稿では一つだけ例示しよう。鮮やかな対比を示すことが出来る。

今度の中国評価の変更に類する、理論的変更は二六年前にも起きていた。「社会主義生成期」論の提起と撤回である。

共産党は、一九七七年の第一四回党大会で「社会主義生成期」論を打ち出した。この論は、ソ連邦を全体としては「社会主義」と評価したうえで、まだ「生成期」だから欠点も誤りもある＝仕方ないという弁護論である。上田耕一郎副委員長によれば、「目からウロコが落ちた思いがし(14)」た画期的理論とまで自画自賛されていた。だが、九一年末のソ連邦崩壊後はじめての九四年の第二〇回党大会で、不破委員長（当時）は「日本共産党綱領の一部改訂についての報告」でこの問題を取り上げた。不破氏は、「スターリン以後のソ連社会は経済的土台も社会主義とは無縁」と言い出し、「それ〔社会主義〕への移行の過程にある過渡期の社会などでもありえないことは、まったく明白ではありませんか」と報告した。そして「『生成期』論をめぐって」と小項目を立て、「今日から見れば明確さを欠いていたことを、ここではっきり指摘しなければなりません」[15]と切り捨てた。なお、この時には「その〔レーニン時代〕人類史的な意義はその後のスターリンらの誤りの累積やソ連の崩壊によっても失われるものではない」ともしていた。近年の「社会主義とは無縁」とは不整合である。

まるで他人事のようにではあるが、ともかく「『生成期』論」（正しくは「社会主義生成期」論）が「明確さを欠いていた」ことは認めた。また、「経済的土台も」とも触れていた。

だが、今回の中国評価の変更については、以前の認識も正しいと強弁し、かつ「経済体制」には触らない。理論的衰弱と判断するほかない。

本稿執筆中に「大講演」の5章「社会主義革命の世界的展望にかかわるマルクス、エンゲルスの立場が押し出せるように」が「赤旗」に掲載された。『資本論』などからの引用によって「五つの要素」なるものを列記して、「未来社会」を「三段階」に区分するまったく新しい見方に整理して、その「第三段階は、社会主義・共産主義の段階です」と手前勝手に、あたかもマルクスが「社会主義・共産主義の段階」と書いていたかに強弁した。そこには、「未来社会のイメージ」と小見出しを立てて次のようにも書いてある。

「未来社会について青写真は描かない――これはマルクス、エンゲルスの立場であり、わが党の立場であります。同時に、そのイメージを、国民に、できるだけわかりやすく伝えていくことは大切であります(15)」。

先に「正しい道」と「一般的・普遍的な道」とが異なるという珍論を指摘したが、この一文も同様である。錯乱というしかない。「青写真は描かない」が、「イメージをわかりやすく伝え」るとは、どんな手品を使うのか。なお、この「青写真」論についての、不破哲三氏の説明の動揺については、二〇一五年に「不破理論とは何か」で批判済みである。不破氏は、初めは「マルクスは青写真を描かない」と言っていたが、後には「細目の青写真」に変更していた(16)。馬と白い馬とは違うことは小学生でも分かる。志位氏は不破氏の認識の変更を無視したのか。

第5節　左翼の共通の難問

ここまでは共産党内の理論的問題として取り上げてきたが、実はもっと大きな問題が提起されていることを知らなくてはならない。ただ、共産党の弱点だけを指摘していればよいわけではない。

前節で「社会主義生成期」論を取り上げたが、問われている大きな問題とは、一九一七年のロシア革命とそれ以後の東ヨーロッパ諸国や中国、キューバ、ベトナム、近年のベネズエラなどにおける新しい社会の建設にむけた営為をどのように理解し評価すべきなのか、である。別な視点からいえば、〈社会主義とは何か〉という問題でもある。今なお社会主義を志向する私たちにも問われている難問である。前記のように、共産党は改定前の綱領で「資本主義から離脱したいくつかの国ぐに」と書いていたが、「離脱」のメルクマールは何なのかを明らかにしなくてはならない。

ロシア革命以来のソ連邦の評価については、長く「ソ連邦論」として多くの研究が重ねられてきた。普通には「社会主義国」と言い習わされてきたが、一九二四年のレーニン没後のスターリン時代の「粛清」などの暗い裏面が暴露されることを通じて、安易に「社会主義国」と認識するのは誤りであることがはっきりしてきた。一九二九年にロシアを追放され、第四インターを創設したトロツキーの流れを受け継ぐトロツキズムの運動圏では、トロツキーに習って「堕落した労働者国家」とか「社会主義への過渡期」と表現されてきた。一九五六年のハンガリー事件に直面して「スターリン主義」と非難する新左翼の潮流も生まれた。日本共産党の「社会主義生成期」論は、「スターリン主義」批判への遅れた対応だった。このお蔵入りの謬論に代わって「社会主義とは無縁」などと言い出したが、そういう不遜な切り捨てによっては、歴史の教訓を学ぶことはできない。

私は、一九七五年に村岡到の名前で初めて書いた長論文「〈ソ連邦＝堕落した労働者国家〉論序説」(17)でトロツキーに学んで、「資本主義から社会主義への過渡期社会」と認識し、八〇年には「官僚制過渡期社会」とも表現したが、二〇一一年に「党主指令社会」と規定した。「党主」は政治面では、民主政に対比される「党主政」の略で、「指令」は「指令経済」の略である。

さらに、中国については、「中国を理解する要点は何か？――憲法の度重なる改正が意味するもの」で〈党主市経社会〉という試論を発表した。(18) 市経は「市場経済」の略である。なお、試論に過ぎず、経済制度について探究する必要がある。

中国革命いらい七一年の歩みをどのように評価すべきなのか、同じようにその歩みのなかに社会主義への志向性や教訓を掴み取ることが求められているのである。

〈参照文献〉

『社会科学総合辞典』新日本出版社、一九八三年
『広辞苑』第三版、岩波書店、一九九一年

〈注〉

(1) 「赤旗」二〇二〇年一月二〇日。
(2) 『宮本顕治の半世紀譜』新日本出版社、一九八三年、一七九頁。
(3) 村岡到「中国を理解する要点は何か？――憲法の度重なる改正が意味するもの」：季刊『フラタニティ』第五号：二〇一七年二月、参照。
(4) 「赤旗」二〇二〇年一月一六日。
(5) 「赤旗」二〇二〇年二月二四日。
(6) 「赤旗」二〇二〇年一月一五日。
(7) 「赤旗」二〇二〇年三月二二日。
(8) 季刊『フラタニティ』第一七号：二〇二〇年二月。

(9) 村岡到「日本共産党第第二八回党大会」『フラタニティ』第一七号、五四頁。
(10) 日本共産党「第二八回大会議案への感想・意見・提案」二〇一九年一二月二八日。
(11) 村岡到『日本共産党をどう理解したら良いか』二〇一五年、二五頁、八一頁。『共産党、政党助成金を活かし飛躍を』二〇一八年、でも再説、一二八頁。
(12) 村岡到『不破哲三と日本共産党』二〇一五年、一四一頁。
(13) 村岡到『共産党、政党助成金を活かし飛躍を』一三三頁。
(14) 上田耕一郎『現代日本と社会主義への道』大月書店、一九八〇年、二五八頁。村岡到『日本共産党をどう理解したら良いか』三五頁でも論及。
(15) 「赤旗」二〇二〇年四月一二日。
(16) 村岡到『不破哲三と日本共産党』一四七頁〜。
(17) 村岡到「〈ソ連邦＝堕落した労働者国家〉論序説」『第四インターナショナル』第一八号＝一九七五年、第一九号＝一九七六年。
村岡到「『ソ連邦＝党主指令社会』論の意義」『探理夢到』第八号＝二〇一四年一一月、参照。

〈追記〉 校了後に、「赤旗」に「党学習・教育局次長」の肩書きで長久理嗣氏が、本稿で取りあげた志位氏の「大講演」の著作『改訂綱領が開いた「新たな視野」』（新日本出版社）を一面を使って紹介した（五月一二日）。四つの「魅力」を挙げているが、本稿で問題とした「大道」には触れていない。「社会主義・共産主義」にも「指導勢力」にも触れない！ これでは志位氏の新しい強調点は台無しである。これが党学習・教育局次長の論文だとはただ呆れるしかない。（五月一二日）

追悼

宮本顕治さん　自主独立の優位と組織論の限界

日本共産党元議長の宮本顕治さんが、七月一八日、老衰で亡くなった。享年九八歳。一九〇八年（明治四一年）生まれの宮本さんは、非合法の日本共産党に三一年に入党し、三三年に中央委員になり、同年末に特高警察に検挙され、治安維持法違反で無期懲役の判決を下され、日本が敗戦するまで獄中にあり、戦後この判決は取り消され、共産党の再建の闘いに参加し、「五〇年分裂」では国際派を指揮し、五五年の「六全協」を経て党の統一の先頭に立ち、五八年の第七回党大会で書記長に選出され、今日の共産党の綱領の源基となる六一年綱領を決定した六一年の第八回党大会を主導し、いらい役職名は別として党の最高指導者として活躍。九七年の第二一回党大会で議長を引退した。

スターリン主義とコミンテルン全盛の時代に獄中で育った共産主義者が「議会を通じての革命」へと変身した柔軟性が、宮本さんの長所である。同時に、「党の統一」を守り抜くことを徹底して貫徹した。そのゆえに、ただ彼一人だけが今日の共産党を築き上げることができた。党内で彼と対立し分裂した指導者も少なくはないが、だれ一人として、共産党と比較できる党派を形成した者はいない。国際的には中ソ対立が激化し、なお「反共風土」が強いなかで、弾圧と抗争をはねのけて、党を防衛し成長させてきた。

宮本さんが防御に強いことを示すエピソードを、先年亡くなった鈴木市蔵さん（第八回大会で幹部会員、一九六四年に除名）から聞いたことがある。宮本さんは将棋を指すことがあったが、絶対に負けない。自分が敗勢になると、相手が待ちきれずに「また今度」と言うまで手を止めてしまう。

宮本さんの真骨頂は、二度発揮された。一九六六年に中国を訪問して中国共産党と会談し「共同コミュニケ」を発表する直前に、毛沢東主席の主張を拒否した時（この日に「文化大革命」が発せられた）と、九一年にソ連邦共産党が解体した直後に「腰を抜かすな」と号令した時である。もし、宮本さんが毛の主張する「ソ連修正主義批判」に同調し、「武装闘争」の道を選択していたら、日本共産党は壊滅していたに違いないし、ソ連邦の解体にうろたえていたら、社会党と同じに解体しただろう。この〈自主独立〉は、諸外国の共産党の解体・衰退と比較すれば比類なく優れた特徴である。だが、「外国の党の干渉」が大きな力をふるっていた時代が過去となった今日ではその薬効はまったくなくなった。

先の防御を組織論の上で表現したのが「民主集中制」である。規約には記されているが、近年は「赤旗」では使われることがなくなった「民主集中制」は、レーニンの時代には有効だったが、すでに耐用年数は尽きている。宮本さんは一九七五年に『文藝春秋』に「離反者たちの共産党論議」を発表した（『わが文学運動論』新日本出版社、一九八三年、所収）。党の指導者としての厳しさと、宮本さんの懐の深さが伝わる好文であり、結びに記された、除名された花田清輝への感懐は心を打つ。

だが、その彼を縛る最後の教条が「民主集中制」なのである。〈自主独立〉の精神を組織論にも貫き、「民主集中制」に代わる組織のルールを創造することが求められている（私は一九八六年に〈多数尊重制〉を提起）。

私は一度だけ宮本さんに「あのトロ〔ツキスト〕上がり」と評されたことがある。一九八四年五月の赤旗まつりでの或る記者の質問に答えた一言である（『週刊朝日』五月一八日）。「トロツキスト」は今日では「赤旗」紙上では死語になったが、「上がり」ということは、並の「トロツキスト」を超えたものと認識していたのであろう。とはいえ、なお〈日本共産党との対話〉は実現していない。異なった立場の市民や社会主義者と開かれた対話が可能になり、豊かに展開されるなら、共産党は市民の多数派へと成長するであろう。宮本さんの初志は、そうなってこそ活かされる。ご冥福を心から祈ります。

宮本顕治さん：二〇〇七年七月一八日没、享年九八。

☆この追悼文を赤旗編集局にメールしたところ、七月二一日、以下のメールが届いた。
「村岡到様　メールを受け取りました。ありがとうございます。赤旗編集局 読者室」
☆なお、池田大作氏は、宮本さんの死に際して弔辞を送っていた。

上田耕一郎さん　ぜひ対話したかった社会主義者

長く日本共産党の副委員長を務めていた上田耕一郎さんが死去した。

私が現在の政治的立場を形成できた一つの大きな契機は、上田さんの『先進国革命の理論』（大月書店、一九七三年）を読んだおかげである。一九七八年春だった。当時、私は第四インターの機関紙「世界革命」の編集部に配属され、共産党を担当することになった。それまでは、それ以前に一〇年以上所属していた中核派の時期にも、第四インターでの三年間も下部活動家として、党の指導部が与える情報の受け手にすぎなかったが、今度は機関紙に共産党について自分がものを書く位置に立つことになった。そこで、初めて共産党の理論を直接に自分で調べなくてはいけなくなり、編集部の階下の書棚に並んでいたこの著作を手にすることになった。私を第四インターに導いてくれた、同派切っての理論家織田進の蔵書だった。

一読して一驚した。そこには、それまで与えられていた「共産党像」とはまったく異なる世界が展開されていた。「世界革命」の言葉が書かれ、現代における哲学の根本に虐げられた人の貧困を据える必要があると説かれていた。新左翼世界では、共産党を「一国社会主義」として断罪することが大前提であったし、部落問題を初め底辺労働者に敵対しているとされていた。以後、私は自分の頭で共産党の文献をよく読み、その上で批判することが必要だと考えるようになった。その結果、私が到達したのは「共産党との内在的対話」「社共（社会党と共産党）・新左翼の共同行動」の提起であった。

残念ながら、「共産党との対話」はなおまともには実現していない。だが、端緒は切り開かれた。もう時効だろうから記すが、私のこの提起に対して「世界革命」紙に投稿を寄せた党員の妻が新日本出版社に勤務していて、同僚に、今は新党日本の衆議院候補になった有田芳生さんがいた。その人が同席して有田さんと出会うことになった。有田さんを通じて共産党内の動向をいろいろ教えてもらった。彼は上田さんにも近く、上田さんは、当時私が発行していた「稲妻」なる小紙をファイリングしてよく読んでいたことも知った（私は上田さんには「稲妻」や私の著作を送付し続けた）。

私は上田さんには直接は二度すれ違っただけである。〔最初は、何時だったかは忘れたが、東大の五月祭で講演された時。二度目は〕二〇〇〇年に開かれた、社会党副委員長も務めた高沢寅男さんの追悼集会で、堤清二（＝辻井喬）氏と同じテーブルに着席していた上田さんに「いつかお会いできませんか」と声を掛けた。「いやー、まだ」というような曖昧な返事が返ってきただけであった。この三人は、敗戦直後の東大で学生運動の仲間で、その会でも上田さんは高沢さんの五月祭をめぐるエピソードを聞かせてくれた。

上田さんからは、たまに年賀状が舞い込むことがあった。私が三年前に『もうひとつの世界へ』を創刊する時期には、年賀状に「実にエネルギッシュな活動ぶりですね」と書かれていた〔この年賀状は『日本共産党をどう理解したら良いか』に掲載した（一〇一頁）。本書、八〇頁〕現役を引退されときには、挨拶が届いてビックリした。

一昨年夏、沖縄県知事選挙をめぐって何としても共産党が糸数慶子さん支持の立場に立ってほしいと思い、上田さんに初めて電話した。私が「村岡到です」と伝えたら、電話に出た夫人が、「いつも本を送っていただく村岡さんですね」と応じ、「主人はいま入院中ですが、お話は伝えます」と答えた。ご夫婦で村岡について会話することがあるのだろうと知り、とてもうれしかった。

一度はまともに対話・討論できる機会が訪れることをいつも期待していたが、果たせないことになってしまった。ご冥福を祈ります。〔 〕は本書収録時に補足。

上田耕一郎さん：二〇〇八年一〇月三〇日没、享年八一。

吉岡吉典さん　私を憶えていてくれた吉岡吉典さん

日本共産党の名誉役員の吉岡吉典さんが三月一日、旅先のソウルで亡くなられた。新聞報道によれば、「三・一独立運動」のシンポジウムで講演した後の夕食会で倒れたという。

私は吉岡さんには三度お会いしただけで、親しいわけではないが、印象的な会話を記憶しているので、追悼したい。

最初にお会いしたのは、というより路上で立ち話しただけであるが、一九八〇年代末だろうと思う。文京区民センターの近く、講道館の向かい側の道ですれ違ったので「失礼ですが、吉岡さんですね」と声をかけ、鞄に入れてあった、私が書いたものを渡して、一言二言話し、読んで下さいと言っただけである。吉岡さんは「はい」と応じただけであった。鮮明に記憶しているが、何時のことかは憶えていない。

これだけなら、書くに値いしないのだが、二年前にある沖縄関係の集会の二次会の飲み屋で隣に座った方が吉岡さんの秘書を長く務めた人で、話しているうちに、「私はあなたの書いた『不破哲三との対話』（社会評論社、二〇〇三年）を読んだ。こんな本を読んだと吉岡さんに話したら、吉岡さんが『ああ、村岡到を知っているよ。路上で話したことがある』と応じた」と教えてくれた。私のほうが記憶しているのは当然にしても、吉岡さんがこの場面を記憶していて、秘書にそう話したことには非常にビックリした。

それで、吉岡さんに手紙を書き、池袋でお会いした。もう一度、執筆のお願いもあり、ご自宅の近くの駅まで行って話した。

現役を退いていたからでもあろうが、穏やかで開放的な飾らない印象だった。宮本顕治さんについて話が及んだときに、不破哲三氏や上田耕一郎よりも柔軟だったのは宮本さんのほうだったと教えてくれた。彼らは、宮本さんが進んだところまで、実証的に論述していたと説明された。言われてみれば納得できる話であったが、世間では宮本さんのほうがハードと見られている。専門分野にしていた朝鮮問題について、慰安婦の問題は一九六五年の日韓条約締結のころに、自分たちは調べて知っていたが、国会では〔議席が少なくて〕問題にできず、社会党に資料を渡して、問題にしたこともあったと教えてくれた。「赤旗」編集長時代に、ロッキード事件の政商小佐野賢治の正体を暴くシリーズを連載し、大好評となったのであるが、その第一回目に小佐野は地元では高い評価を受けている、とスタートしたら、直ちに宮本さんに呼ばれて、どういうつもりかと問われたという。彼は悪者の「プラス」面に触れてはならないと思っていたのであろう。

さらに、私のことについて、ある時、上田さんから「村岡までは（味方に）入れてもよいのではないか」と相談されたことがあった、と打ち明けてくれた。「反共分子でなければよいだろう」と答えたというが、この話はそれっきりだったという。何時の頃のことなのか、はっきりはしないが、そういうこともあったのだろう。

お元気であったし、つい先日は「派遣労働者問題と憲法27条」を「赤旗」に書いておられた（一月三〇日）ので、いずれまたお話できればと思っていただけに、とても残念である。ライフワークの課題をソウルで講演した直後ということなので、文字通り最後まで闘い抜いての生涯である。ご冥福を心から祈ります。〔 〕は本書収録時に補足。

吉岡吉典さん：二〇〇九年三月一日没、享年八一。

没後、吉岡さんの蔵書に拙編『原典　社会主義経済計算論争』（一九九六年）が入っていたと知った。

あとがき

一九六〇年の安保闘争から六〇年が経った。この四月に喜寿でもある。それで、この小さな本を出版することにした。

まずは、既発表の収録論文について記す。

新型コロナが問う人類史的課題　季刊『フラタニティ』第一八号：二〇二〇年五月。

新型コロナで〈被災生存権所得〉を　『週刊金曜日』二〇二〇年五月一五日。

友愛の政権構想を打ち上げよ　鳩山友紀夫　『フラタニティ』第一四号：二〇一九年五月。

〈友愛〉を「自由・平等」の基礎に　碓井敏正　『フラタニティ』第一六号：二〇一九年一一月。

「友愛」による左翼再生を　鳩山友紀夫　『プランB』第四三号：二〇二〇年五月。

私の歩み――一九六〇年安保闘争から六〇年　『フラタニティ』第一七号：二〇二〇年二月。

社会主義経済における〈分配問題〉――森岡真史氏の提起について　山本恒人・村岡到編『上島武追悼論文集　社会主義へのそれぞれの想い』ロゴス、二〇一七年。

社会主義への政経文接近　「『創共協定』とは何だったのか』二〇一七年、収録論文の一部。

日本共産党第二八回党大会――党勢の後退を打破できるか 『フラタニティ』第一七号。補筆。
二枚舌か 自衛隊めぐる志位発言 『週刊金曜日』二〇二〇年三月一三日。
中国評価の「見直し」の問題点 『フラタニティ』第一八号。補筆。
宮本顕治さん 自主独立の優位と組織論の限界 『プランB』第一〇号：二〇〇七年八月。
上田耕一郎さん ぜひ対話したかった社会主義者 『プランB』第一八号：二〇〇八年一二月。
吉岡吉典さん 私を憶えていてくれた吉岡吉典さん 『プランB』第二〇号：二〇〇九年四月。
「付録」として収録した鳩山友紀夫さんと碓井敏正さんには転載を許諾していただいた。鳩山さんには本書の出版にもご協力いただいた。

この機会に、私の生活に触れると、一九六三年の上京直後は三畳一間（台所、便所は共同）の下宿だった。家賃三〇〇〇円で、月収は八〇〇〇円くらいだったと記憶している。その後、一〇回も転居を重ねた。七五年の東大失職後は普通の会社に就職したことはない。九二年に都営住宅に当選して、低所得ゆえの減免措置で家賃が低いので何とか生活している。六五歳から年金が支給されているが、保険料金を支払わない期間があったので、七割くらいしか出ない。二〇〇五年からは名ばかりの極小出版社ロゴスを維持している。妻の環がデザインや会計を手伝っている。先妻との間で授かった娘が一人いるが、たまにしか往来しない。先日、「明日、誕生日だね、元気？」という短いメールが届いて、うれしかった。

六〇年安保闘争からの歩みを振り返ると、哲学者の梅本克己さん（一九七四年没）の影響がもっとも大きかった。もう一人は法学者の尾高朝雄さん（一九五六年没）。一九九九年末に神田の古本屋で『法の窮極に在るもの』（有斐閣、一九四七年）を見つけて読み、法学の大切さを学んだ。それが〈社会主義像〉を新しく探究する端緒となった。

今後の理論的な課題としては、やはり一九一七年のロシア革命いらいの中国、キューバなどでの「社会主義」を旗印にした革命とその後の経験が何を意味するのかについて、安易な擁護や焦った断罪に陥ることなく客観的・科学的に解明することが大切だと、私は考える。もう一つは、〈政権構想〉の内実を埋めてゆくことである（二カ月前に刊行した『政権構想の探究①』参照）。

新型コロナウイルスの感染が全世界に不気味に広がり、「日本最大の危機」に直面している。そういうなかで、本書の刊行がいかなる意味を持つのか、試案せざるを得ない。新左翼の労働者活動家がどんな風に生きてきたのか、その小さな記録ではある。

なお、本書のカバーには今度もヤマギシ会別海実顕地の井口義友さんの写真を使わせていただいた。いつも雄大な自然を美しく撮っている。今度は大セグロカモメが大空を舞っている。

読後の感想・批判をぜひ寄せていただきたいと切望します。光が丘公園の緑あふれる樹木の中で。

二〇二〇年五月七日

村岡　到

日本共産党の大会への意見集からの人名については省略した。

〈キーワード索引〉

〈人名索引〉

村岡 到（むらおか　いたる）

1943年4月6日生まれ
1962年　新潟県立長岡高校卒業
1963年　東京大学医学部付属病院分院に勤務（1975年に失職）
1969年　10・21闘争で逮捕・有罪
1980年　政治グループ稲妻を創成（1996年に解散）
ＮＰＯ法人日本針路研究所理事長
季刊『フラタニティ』編集長

主要著作は78頁に掲載

左翼の反省と展望――社会主義を希求して60年

2020年6月6日　初版第1刷発行
著　者　　村岡　到
発行人　　入村康治
装　幀　　入村　環
発行所　　ロゴス
〒113-0033　東京都文京区本郷2-6-11
TEL.03-5840-8525　FAX.03-5840-8544
URL http://logos-ui.org
印刷／製本　　株式会社 Sun Fuerza

定価はカバーに表示してあります。 ISBN978-4-910172-01-9　C0031